Cupcakes et claquettes

Catalogage avant publication de Bibliothèque et Archives nationales du Québec et Bibliothèque et Archives Canada

Rondeau, Sophie, 1977-

    Cupcakes et claquettes

    Sommaire: 4. Le cœur dans les nuages.
    Pour les jeunes de 9 ans et plus.

    ISBN 978-2-89723-546-8 (vol. 4)

    I. Rondeau, Sophie, 1977- . Cœur dans les nuages. II. Titre.
    III. Titre: Le cœur dans les nuages.

PS8635.O52C86 2013   jC843'.6   C2012-942406-4
PS9635.O52C86 2013

Les Éditions Hurtubise bénéficient du soutien financier des institutions suivantes pour leurs activités d'édition:

- Conseil des Arts du Canada;
- Gouvernement du Canada par l'entremise du Fonds du livre du Canada (FLC);
- Société de développement des entreprises culturelles du Québec (SODEC);
- Gouvernement du Québec par l'entremise du programme de crédit d'impôt pour l'édition de livres.

Illustration de la couverture: Géraldine Charette
Graphisme: René St-Amand
Mise en pages: Martel en-tête

Copyright © 2015, Éditions Hurtubise inc.

ISBN 978-2-89723-546-8 (version imprimée)
ISBN 978-2-89723-547-5 (version numérique pdf)
ISBN 978-2-89723-548-2 (version numérique ePub)

Dépôt légal: 1er trimestre 2015

Bibliothèque et Archives nationales du Québec
Bibliothèque et Archives Canada

Diffusion-distribution au Canada: Diffusion-distribution en Europe:
Distribution HMH   Librairie du Québec/DNM
1815, avenue De Lorimier   30, rue Gay-Lussac
Montréal (Québec) H2K 3W6   75005 Paris FRANCE
www.distributionhmh.com   www.librairieduquebec.fr

Imprimé au Canada
www.editionshurtubise.com

Sophie Rondeau

Cupcakes et claquettes

4. Le cœur dans les nuages

Hurtubise

De la même auteure

Série *CUPCAKES ET CLAQUETTES*

Tome 1, Loin de toi, roman, Montréal, Hurtubise, 2013.

Tome 2, L'amour est un caramel dur, roman, Montréal, Hurtubise, 2013.

Tome 3, Pincez-moi quelqu'un!, roman, Montréal, Hurtubise, 2014.

Série *DESTINATION MONSTROVILLE*

Tome 1, Moche Café (coécrit avec Nadine Descheneaux), roman, Montréal, Éditions Druide, 2013.

Tome 2, Le salon de décoiffure, roman, Montréal, Éditions Druide, 2014.

Série *ADRIEN ROSSIGNOL*

Tome 1, Une enquête tirée par les cheveux, roman, Montréal, Éditions de la courte échelle, 2013.

Tome 2, Un rossignol à l'opéra, roman, Montréal, Éditions de la courte échelle, 2013.

Malédiction au manoir, (collectif), recueil de nouvelles, Saint-Lambert, Éditions Dominique et compagnie, 2014.

Non, petits gourmands! (coécrit avec Nadine Descheneaux), album, Montréal, Éditions du Renouveau pédagogique, 2012.

La Fée Chaussette, album, Montréal, Éditions Imagine, 2011.

La Collation de Barbo (coécrit avec Nadine Descheneaux), album, Montréal, Éditions du Renouveau pédagogique, 2011.

Violette à bicyclette, roman, Gatineau, Éditions Vents d'Ouest, 2010.

Papa a peur des monstres, album, Montréal, Éditions Imagine, 2009.

Étienne-la-bougeotte, album, Montréal, Éditions du Renouveau pédagogique, 2009.

Louka cent peurs, roman, Gatineau, Éditions Vents d'Ouest, 2009.

Simone la Démone cherche cœur de pirate, roman, Rosemère, Éditions Pierre Tisseyre, 2009.

La deuxième vie d'Anaïs, roman, Gatineau, Éditions Vents d'Ouest, 2009.

Simone la Démone des sept mers, roman, Rosemère, Éditions Pierre Tisseyre, 2008.

Ton nez, Justin!, album, Montréal, Éditions du Renouveau pédagogique, 2008.

La Course aux œufs, roman, Montréal, Éditions du Renouveau pédagogique, 2007.

Quels drôles d'orteils! (coécrit avec Nadine Descheneaux), album, Montréal, Éditions du Renouveau pédagogique, 2007.

Le père Noël ne viendra pas, album, Montréal, Éditions du Renouveau pédagogique, 2006.

Le Serment d'Ysabeau, roman, Rosemère, Joey Cornu Éditeur, 2004.

Je dédie ce quatrième tome de
Cupcakes et claquettes
à ma petite quatrième : la belle Adèle !

*Merci à Marie-Claude Guay pour
toutes ses explications sur l'autisme.*

Clara

28 décembre

Il fait froid! De toute ma vie, je ne me souviens pas qu'il ait déjà fait aussi froid! Et dire que les habitants du Grand Nord québécois doivent supporter des températures encore plus glaciales. Comment font-ils? Je suis sortie à peine trois minutes pour remplir le bac de recyclage et le rouler jusqu'au bord de la rue, et j'avais l'impression que j'allais me transformer en glaçon. Les parois de mes narines collaient quand j'inspirais trop profondément, je me mettais à tousser, car l'air gelé m'étouffait. Une chance que je suis en vacances et que je n'ai pas à attendre l'autobus le matin. Je me croise les doigts très fort pour que le thermomètre remonte en janvier.

Il y a un bon quinze minutes que je suis rentrée et je n'ai toujours pas réussi à me réchauffer les orteils. Je voudrais tant qu'on ait un poêle à bois ou un foyer. Je m'approcherais les pieds des braises, je m'enroulerais dans une grosse couverture et je suis presque sûre que je m'endormirais. Ou je lirais des heures et des heures l'œuvre complète de Lucy Maud Montgomery.

À la place, je me fais un grand chocolat chaud parsemé de guimauves miniatures. Maman m'a offert du chocolat chaud mexicain pour Noël. Elle l'a déniché dans une épicerie asiatique. C'est à n'y rien comprendre! J'aime tellement le goût de cette boisson que c'est devenu mon nouveau péché mignon! À part la cannelle, je ne sais pas quelle épice il y a là-dedans, mais c'est tout simplement dé-li-cieux. Donc, au lieu de me réchauffer les pieds près du feu, je réchauffe mes mains sur ma tasse brûlante.

Maman ne s'est pas encore lassée de la musique de Noël. Les cantiques traditionnels tournent sans arrêt dans la maison depuis quinze jours. Même si le volume est très bas, je suis en train d'en faire une indigestion. Comme le reste de la famille, d'ailleurs. Il n'y a que Violette qui semble apprécier. Et avec son chandail « Mon premier Noël », elle est tout à fait dans le ton. Depuis le début des vacances, maman lui a mis au moins trois fois. Elle dit que c'est pour les photos, afin de garder des souvenirs impérissables de son tout premier Noël. Je ne me doutais pas que maman était aussi sentimentale. Je me suis sauvée toutes les fois qu'elle sortait l'appareil-photo. À Noël, j'avais un gros bouton sur le bout du nez. J'avais l'air du petit renne au nez rouge! Ça a bien fait rigoler Lili. Elle m'en parle encore.

Assise à la table de la cuisine, je passe en revue les cadeaux que j'ai reçus :

- le chocolat chaud mexicain de maman ;
- une carte-cadeau de la librairie de grand-maman et grand-papa ;
- une paire de boucles d'oreilles de papa (il m'offre toujours quelque chose, même s'il déteste les magasins. Je suis sûre qu'il les a achetées en ligne) ;
- des moules à cannelés et un roman d'Alain M. Bergeron de maman ;
- un tablier de cuisine avec un dessin de cupcakes de Lili ;
- une carte iTunes de mon oncle Olivier et de ma tante Corinne ;
- un grand cahier à la couverture cartonnée rose et vert d'Étienne.

Oui, oui, Étienne m'a offert un cadeau. Je lui en ai aussi fait un, d'ailleurs : un petit recueil de poèmes d'Émile Nelligan. Papa m'a dit que Nelligan était un incontournable de la poésie, alors j'ai suivi ses conseils. Mais je ne lui ai pas dit que c'était pour un garçon.

Étienne et moi... c'est spécial. Il n'est pas vraiment mon chum, mais il n'est pas seulement un ami non plus. Depuis que j'ai appris qu'il était mon admirateur secret et qu'il sait que je suis au courant, nos rapports ont changé. Nous nous voyons plus souvent qu'auparavant, même si nous sommes rarement seuls. Habituellement, Clémentine ou Estelle sont avec moi, tandis que François ou Luis sont souvent avec Étienne. En fait, je crois que ni lui ni moi n'osons aller plus loin pour l'instant. Quand on est seuls tous les deux, on fige. Je regarde plus mes orteils que son visage. Avant, on se parlait plus aisément, mais là, c'est plus intimidant. Nous n'abordons rien de très personnel. Pourtant, je me souviens que cet été, dans le parc derrière la maison des jeunes, nous avons eu une conversation très intime. Parfois, j'aimerais retourner en arrière pour revivre ce moment...

Mais qu'est-ce que je dis là ? Non, je ne veux pas retourner en arrière. Maintenant, je ne suis plus dans le doute. Je sais à quoi m'en tenir. Et même si nous avons peur de dévoiler nos sentiments, nous passons de beaux moments ensemble. On s'envoie des messages tous les soirs par Internet.

On s'aide dans nos devoirs. Nous parlons de tout et de rien. Le fait de savoir qu'il est près de moi me réchauffe le cœur... Mais quand mes yeux croisent les siens, je me sens encore toute bizarre. Nous avons tous les deux besoin d'un peu plus de temps. Au fil des jours, on s'apprivoise en faisant de petits pas l'un vers l'autre.

En fait, on ne s'est jamais embrassés ni même tenu la main. Lili ne comprend pas. Ma sœur et Grégory l'ont fait le premier soir, c'est la preuve qu'elle voit les choses différemment.

Lili n'arrête pas de me questionner : « C'est ton chum ou ça ne l'est pas ? »

Oui. Non. Oui et non. Ce n'est pas super clair.

— Mais il t'aime ? Tu l'aimes aussi, non ? Pourquoi faut-il que ce soit si compliqué ?

— Ah ! Laisse-moi vivre ma vie ! Ce n'est pas qu'on est compliqués, on n'est pas prêts, c'est tout.

— Tu es vraiment une extraterrestre, toi !

La même conversation se répète tous les deux jours. C'est pareil avec Clémentine. Il n'y a qu'Estelle qui ne nous pousse pas dans le dos pour qu'on se saute dessus. « Avant de s'engager dans une relation, il faut s'assurer que ce soit la bonne personne, qu'elle me dit. Tu fais bien d'être prudente. »

Prudente... Voyons donc ! Comme si Étienne était dangereux. Estelle n'a jamais eu de petit ami.

J'ai l'impression qu'elle parle à travers son chapeau. Mais je ne le lui ai pas dit, de peur de la blesser.

Sinon, j'ai beaucoup avancé mon livre de recettes depuis que nous sommes en vacances. Je crois qu'il sera bientôt achevé. La liste des personnes qui en veulent un exemplaire s'allonge : ma sœur, Clémentine et Estelle, Romy, la meilleure amie de Lili, Anaëlle, une autre amie de ma sœur, Charline, l'animatrice de la maison des jeunes, ma tante Corinne... Et j'en oublie. Ma sœur m'a dit que je devrais vendre les exemplaires pour devenir riche. Elle est drôle ! Je ne suis pas un grand chef qui a sa propre émission de télé !

Lili

Je pense à l'année qui va mourir cette nuit et je me dis qu'il se passe tellement de choses en trois cent soixante-cinq jours ! J'ai des souvenirs plus doux que d'autres. Je me demande ce que me réserve la prochaine année. La coquine est cachée quelque part dans un coin du ciel. Elle attend le décompte officiel, les flûtes et les confettis pour faire son apparition, telle une vedette sur le tapis rouge. Puis elle égrainera ses jours, un à un, comme le petit poucet avec ses morceaux de pain. Elle sèmera toutes sortes de surprises sur son chemin.

Je souhaite que la vie soit plus douce avec Louka. Il est encore ébranlé par la mort de Marie-Julie, sa belle-mère. Pour Noël, son père, son frère et lui sont allés en Uruguay. C'est le pays où a grandi son père. J'espère qu'il passe du bon temps et qu'il profite du soleil, le chanceux! À ce temps-ci de l'année, c'est l'été là-bas. Je suis sûre que mon ami apprécie son voyage. Il verra ses cousins, ses oncles et ses tantes, alors il ne s'ennuiera pas.

Au téléphone ce matin, j'ai demandé à Romy ce qu'elle souhaitait pour la nouvelle année. Elle a réfléchi quelques secondes avant de me dire : « Rien du tout. »

— Tu n'as pas envie qu'il t'arrive quelque chose de particulier ? Par exemple, aller dans un endroit qui sorte de l'ordinaire, rencontrer une personne que tu admires ou essayer une nouvelle activité, ai-je insisté.

— Non… En fait, je veux que rien ne change. J'ai une super meilleure amie…

C'est moi, ça !

— … je danse tous les jours, j'ai de bonnes notes à l'école. Tout est parfait.

— Tu as bien raison.

Puis, elle a pouffé de rire.

— En fait, il y a bien une chose…

Elle avait piqué ma curiosité. De quoi voulait-elle parler ?

— Je ne veux pas que mes seins continuent de grossir !

Je sais que ce n'est pas drôle, mais je n'ai pu m'empêcher de rire à mon tour. Au cours de l'année dernière, les seins de mon amie ont pris beaucoup de volume, tant et si bien qu'elle a dû changer deux fois de taille de bonnet de soutien-gorge. Elle est un peu découragée.

—Pourtant, ta mère n'a pas une grosse poitrine, lui ai-je dit la dernière fois que nous avons discuté. C'est pas censé être un peu héréditaire?

—Tu te trompes. Quand j'étais petite, ma mère s'est même fait opérer pour ça. Elle avait trop mal au dos. C'est que c'est lourd, ces roploplos-là! J'ai pas envie de passer sous le bistouri, moi!

Pour danser, Romy doit porter un soutien-gorge que sa mère lui a acheté dans un magasin spécialisé, sinon sa poitrine fait la rumba et s'agite dans tous les sens.

Je croyais qu'avoir une grosse poitrine était un atout, mais depuis que je suis amie avec Romy, j'ai changé d'avis. Je ne peux pas dire que j'adore mes seins, mais je me contente très bien de mon petit B.

Violette la coquine se déplace maintenant partout dans la maison en rampant. Elle époussette le plancher avec ses pyjamas. Il faut veiller à toujours refermer la porte du sous-sol et à installer la barrière devant les escaliers qui montent à l'étage, au cas où elle déciderait d'explorer plus en hauteur.

Elle est trop mignonne, ma petite sœur. C'est un rayon de soleil dans la maison… quand elle ne pleure pas ! Lorsqu'elle pleure, on dirait que mes tympans vont éclater. Sa voix est tellement aiguë !

Le lendemain de Noël, à ma plus grande surprise, maman m'a demandé de garder Violette en après-midi pour aller au cinéma avec papa. Depuis plus d'un an, elle me rabâche que je ne garderai pas ma sœur avant mes quatorze ans. Alors, je l'ai fait répéter, car j'étais convaincue d'avoir mal entendu. Ma mère devait avoir besoin d'une pause pour faire une telle entorse à sa règle d'or ! Après tout, je suis trrrrrrrrèèès loin d'avoir quatorze ans. Mon anniversaire n'est que dans un mois et demi ! Mais il faut dire que Clara était là. Si on additionne nos âges, ça donne plus de vingt-sept ans !

Mes parents sont donc allés à une séance en matinée, pendant que Violette faisait sa sieste. J'étais presque insultée, car ma petite sœur a été réveillée un gros vingt minutes en tout. Le reste du temps, j'ai joué à Bataille navale avec Clara. Comme tout s'est bien déroulé, j'espère que mes parents vont me redemander de garder… Je parle comme si j'étais la seule responsable, mais Clara m'a aidée, même si elle n'a pas encore suivi son cours de gardien averti. C'est tellement pratique, avoir une sœur jumelle !

Clara

4 janvier

Dernière journée avant le retour en classe. Lili reprendra le chemin de la polyvalente, et moi, celui du collège. J'ai moins la tête à l'école depuis quelques semaines, et pas seulement à cause des vacances de Noël. Ce désintérêt a commencé bien avant. Je pense à tout plein de choses, sauf à mes cours ! J'ai décidé de ne plus écrire dans le journal étudiant. J'ai fait part de ma décision à Estelle lorsque nous nous sommes vues hier. Elle était très déçue et n'avait pas l'air de comprendre mes raisons. Estelle écrit des articles et des reportages dans le journal, mais mes poèmes sont branchés directement sur mes sentiments. Ce n'est pas du tout pareil.

Ces derniers mois, si j'ai accepté que mes textes se retrouvent dans le journal, c'était pour qu'ils soient lus par mon admirateur secret. C'était un prétexte pour rester en communication avec lui. Maintenant que je connais son identité, je ne ressens plus le besoin d'exprimer à toute l'école comment je me sens, ce qui me passionne ou ce qui me fait rêver. Je vais continuer d'écrire, bien sûr, mais pour moi seulement. Et peut-être pour Étienne. Estelle dit que je vais tuer Nougatine. C'est faux. Nougatine, c'est moi, et je suis toujours bien vivante. J'ai décidé de reprendre ma place, tout simplement.

Je retrouve le plaisir d'écrire et j'aime ça.

La maison des jeunes a été fermée dix jours pendant les fêtes, mais elle est rouverte depuis hier. Lili et moi décidons d'y aller. Du coup, j'écris à Étienne pour lui demander s'il veut venir nous rejoindre avec François ou Luis. Il ne doit pas être en ligne, car je ne reçois aucune réponse. Papa, qui est notre chauffeur, n'a pas envie d'attendre davantage. Il veut bénéficier d'un rabais spécial à la SAQ pour renflouer sa réserve de bouteilles de vin. Je ne sais pas pourquoi il est si pressé! Les bouteilles ne vont pas s'envoler des tablettes!

—Plus on y va tôt, moins c'est achalandé. Vous savez à quel point je déteste les magasins! s'exclame-t-il dans la voiture.

Au Hameau, il n'y a pas foule. L'hiver, on y croise beaucoup moins de monde qu'en été. Lili est super contente de retrouver son amie Anaëlle. Celle-ci ne va pas à la même école que ma sœur, alors elles ne se voient qu'ici. Elles parlent toujours de danse (surtout de hip-hop !) ou jouent aux jeux vidéo ensemble.

Je ne vois Étienne nulle part. Il n'a sûrement pas lu mon message. Et même s'il l'a fait, ça ne veut pas dire qu'il pouvait venir. Ou qu'il voulait venir.

Il y a quelques jours, Lili m'a demandé de lui préparer des barres tendres comme collation. J'allume donc l'un des ordinateurs pour aller voir sur Internet si je ne trouverais pas une recette. Je pourrais improviser, mais à part des flocons d'avoine, du miel et des fruits séchés, je ne sais pas de quels ingrédients sont faites ces barres.

Pendant que je mène mes recherches, Lili joue au billard avec Anaëlle, mais je crois qu'elles parlent plus qu'elles ne jouent. Elles ont beaucoup de choses à se raconter, on dirait.

Je découvre rapidement tout plein de recettes de barres tendres très appétissantes. J'ai l'embarras du choix. Je peux y mettre des graines de citrouille, de sésame, de lin, toutes sortes de fruits séchés, des amandes, des noix de cajou, je peux même les épicer avec de la cannelle, de la cardamome ou du gingembre ! Je vais essayer au moins deux recettes pour voir laquelle Lili préfère. Maintenant, moi aussi j'ai envie d'en mettre dans mon lunch cette semaine!

— Encore en train de chercher des recettes?

Oh! Étienne est venu! Je suis tellement contente!

— On dirait! Mais ce n'est pas pour moi. C'est pour Lili, dis-je pour ma défense.

Il a l'air sceptique.

J'imprime trois recettes et je referme tous les onglets à l'écran. Je ne suis pas pour rester devant l'ordinateur pendant qu'Étienne est là à me regarder!

— François et Luis ne sont pas là?

— Ils avaient un empêchement. Un gros rhume pour François et un dîner de famille pour Luis. Est-ce que tu es déçue?

Je rougis, j'en suis sûre. Satanée manie!

— Non, non, je posais la question, c'est tout.

Je suis un peu mal à l'aise d'être seule avec lui. Je tripote le coin des feuilles que je viens d'imprimer en cherchant quoi dire, mais aucune idée géniale ne me vient à l'esprit.

Étienne jette un bref coup d'œil à mes feuilles.

— Est-ce que je t'ai dit que ma mère fait beaucoup de cuisine aussi?

— Je ne crois pas. En fait, tout ce que je sais sur ta mère, c'est qu'elle est intolérante au lactose, comme moi.

— Tu la connais peut-être sans le savoir…

Mais de quoi veut-il parler?

— Est-ce que le nom de Chrystelle te dit quelque chose? Chrystelle, la chanteuse.

— Vaguement…

Il me semble avoir déjà entendu ce nom, mais je n'arrive pas à voir un visage dans ma tête. Il faut dire que je n'écoute pas souvent la radio…

Étienne sort un téléphone cellulaire de sa poche. Pendant qu'il pitonne sur le clavier à l'écran, il m'explique que l'appareil appartient à sa mère, qu'elle le lui a prêté. Étienne me le tend pour me faire voir une vidéo sur YouTube.

L'enregistrement doit sûrement dater de plusieurs années, si on en croit les vêtements et la coiffure de la chanteuse, qui est très jeune et surtout très belle. Ses cheveux cuivrés brillent sous les éclairages et ondulent autour d'elle. Sans avoir un timbre extraordinaire, sa voix est cristalline et harmonieuse. La femme chante une chanson d'amour. Je l'écoute quelques instants. J'ai déjà entendu cette mélodie à la radio.

— C'est ta mère? demandé-je à Étienne, impressionnée.

Il hoche la tête.

— Wow! Est-ce qu'elle chante encore?

— Sous la douche, oui!

Il s'esclaffe et moi aussi. C'est agréable de l'entendre rire. C'est un peu comme un feu d'artifice dans mon cœur.

— Elle ne chante plus professionnellement depuis une quinzaine d'années. Elle a eu quelques *hits* comme celui-ci, et après elle a laissé tomber. Je suis né et ensuite il y a eu ma sœur.

— C'est chouette ! Je ne savais pas que ta mère était célèbre. Ça doit te faire drôle.

— Bah, je n'ai pas connu autre chose, alors... Il arrive qu'on l'aborde dans la rue, mais c'est rare. Elle a coupé ses cheveux, et elle porte des lunettes maintenant.

Tout à coup, on entend ma sœur lancer un « youpi » retentissant. Elle saute sur place les bras en l'air. Je crois qu'elle vient de gagner sa partie.

— Est-ce que ta sœur est toujours aussi démonstrative ?

— Eh oui ! Je sais, je ne suis pas comme ça...

De nouveau, un ange passe. Je déteste ce silence qui gruge le peu de confiance que j'ai en moi. Puis, je me rappelle ce qu'Étienne m'a dit un peu plus tôt.

— Donc ta mère cuisine beaucoup. Elle a échangé le micro contre une toque de chef ?

— Presque. Elle prépare des muffins, des biscuits de toutes sortes que mon père apporte au laboratoire où il travaille. Elle gagne un peu de sous avec les ventes des muffins, mais elle dit qu'elle le fait pour se désennuyer. Elle ne veut pas travailler à l'extérieur à cause de ma sœur.

Je m'apprête à lui demander pourquoi quand Lili vient nous rejoindre. Elle aimerait jouer au billard avec moi. Il n'y a rien à faire, je suis toujours aussi nulle à ce jeu. Je n'ai aucune chance de gagner contre elle, ou contre n'importe qui d'autre d'ailleurs.

—Je peux te donner un coup de main, m'offre Étienne.

—Comme c'est romantique! se moque ma sœur.

Je lui lance un regard assassin. Je ne dirai rien ici, mais c'est sûr que nous allons avoir une discussion à ce sujet à la maison. C'est le genre de remarque qui me met hyper mal à l'aise. Et Étienne aussi, j'en suis sûre. Elle m'ignore et sourit de toutes ses dents.

—Affaire conclue! Viens-t'en, sœurette!

Lili

Pour la nouvelle année, maman nous a pris un rendez-vous chez le dentiste et chez l'optométriste. C'est vrai qu'il y a un bon bout de temps que nous n'y sommes pas allées. Je crois qu'avec sa grossesse et la naissance de Violette, ça lui était complètement sorti de la tête. Ce n'est pas papa qui pense à ce genre de choses. Même ses propres rendez-vous, c'est maman qui s'en occupe.

Je n'ai jamais eu de carie, mais je n'aime pas aller chez le dentiste. Pendant le nettoyage, j'ai peur que l'hygiéniste me pique avec ses longs instruments. Elle gratte mes dents et finit toujours par accrocher un bout de gencive. Aïe, aïe, aïe ! Pendant qu'elle travaille, je compte les petits trous dans les tuiles suspendues du plafond. C'est long et abrutissant. Et que dire de la musique ! Si je n'avais pas déjà la bouche ouverte, je bâillerais d'ennui. Je reste un gros trente minutes avec l'hygiéniste et à peine deux minutes avec le dentiste. C'est un peu dommage, car le dentiste est drôlement beau. Je sais, il est vieux, mais il est beau quand même. Il m'a dit que j'avais de magnifiques yeux verts et ça m'a tout énervée !

Je préfère aller chez l'optométriste. À part la petite lumière blanche qu'elle braque dans mes yeux quelques secondes, il n'y a rien de douloureux. C'est moi qui passe la première. À mon avis, l'examen se déroule normalement. Lorsque l'optométriste allume les lumières, je suis surprise de l'entendre dire :

— Lili, l'examen a démontré que tu commences à faire de la myopie. 0,75 de dioptrie dans l'œil droit et -1 dans l'œil gauche.

Quoi ? Je suis myope ? C'est vrai qu'il m'arrive de ne pas voir très bien au tableau, mais mes profs écrivent petit... C'est toujours ce que je me suis dit. Quant à la télévision, je la regarde d'assez près, mais je n'ai jamais remarqué que l'image était embrouillée.

— Euh... Est-ce que ça veut dire que je vais avoir besoin de lunettes ?

Je dévisage l'optométriste, puis ma mère. Les deux font oui de la tête.

—Oh non!

Clara rigole.

—Youpi! Plus personne ne va nous confondre, maintenant!

Elle a le sourire aux lèvres.

—Attends, on ne sait jamais, peut-être en auras-tu besoin aussi.

Pendant que Clara fait son examen visuel, je me cale dans ma chaise. Dans l'obscurité, je ronge mon frein. Je n'ai pas envie d'avoir des lunettes. Mes yeux s'embuent. Je les essuie rapidement avant que les lumières se rallument.

Finalement, l'examen montre que la vue de ma sœur est parfaite.

Comment est-ce possible? Nous sommes faites sur le même moule, pourtant!

—Ça ne veut rien dire, tu le sais bien, me répond Clara. Je suis intolérante au lactose et pas toi.

C'est vrai... mais ce n'est pas juste quand même! Je regarde ma mère. Elle esquisse un sourire pour m'encourager. Ni papa ni elle ne sont myopes, pourquoi le suis-je, alors? Ce n'est pas supposé être héréditaire? Je dois être une anomalie de la nature.

Soudain, j'ai une idée. Pourvu que maman dise oui.

—Et si j'avais des verres de contact?

Maman n'a pas l'air ravie de cette proposition. Je retiens ma respiration. Elle réfléchit quelques secondes avant de me répondre qu'elle n'est pas d'accord.

— On va commencer avec des lunettes, et dans six mois ou un an, on envisagera les verres de contact.

Six mois! Un an! C'est une éternité! Là, c'est plus fort que moi, je pleure. J'ai l'air d'un gros bébé gâté, mais je n'accepte pas l'idée que je vais avoir des lunettes collées au visage. Je n'en veux pas.

Clara me prend dans ses bras et frotte mon dos pour me consoler. Elle ne se vante plus, elle sait très bien que ce n'est pas le moment.

— Tu vas finir par te faire à l'idée, ne t'inquiète pas. Tu ne seras pas la seule de ta classe à porter des lunettes.

C'est vrai. Depuis le début du secondaire, j'ai remarqué que beaucoup d'élèves ont des lunettes. L'optométriste essaie de détendre l'atmosphère.

— Pourquoi n'irais-tu pas dans la salle de démonstration voir les différentes montures que nous avons? Je suis sûre que tu en trouveras une à ton goût.

Dans l'autre salle, il y a des centaines, voire des milliers de montures différentes. Je ne suis pas pour toutes les essayer, quand même! On serait encore ici demain matin.

Je me croise les bras, moitié fâchée, moitié découragée. Clara se promène à travers les rangées, prend une monture et l'essaie.

C'est drôle, je n'y avais pas pensé, mais je peux voir exactement de quoi j'aurai l'air avec des lunettes en regardant ma sœur. Voilà un autre avantage d'être jumelles.

—Celle-là ne te va pas bien. Tu as l'air trop sérieuse.

Clara en essaie une deuxième paire, puis une troisième et une quatrième. Trop grosse, trop petite, trop ronde, trop carrée, trop originale, trop banale. Ma sœur a beau avoir un grand cœur, elle s'impatiente.

—Lili, j'essaie de t'aider, tu pourrais faire preuve d'un peu plus de bonne volonté !

D'accord, j'ai compris. Je soupire un bon coup et je m'y mets aussi. Pour vrai. Maman cible quelques montures et me les apporte. Finalement, je finis par en trouver deux pas si mal. L'une est fine, en métal gris, et l'autre est un peu plus large, en plastique bleu nuit. L'intérieur des branches est rose, mais lorsqu'on les a sur le nez, ça ne se voit pas tellement. Je mets la première monture et Clara la seconde. Nous nous tenons devant le miroir côte à côte. C'est comme si c'était moi en deux exemplaires, il n'y a que notre habillement et les fameuses lunettes qui sont différents.

— Et puis ? me demande maman en regardant sa montre.

Il se fait tard. Elle doit avoir hâte de rentrer à la maison. Je nous regarde. Clara, moi. Moi, Clara. C'est bon, j'ai fait un choix, même si ça ne m'enchante guère.

— Je vais prendre les bleu nuit.

Clara sourit.

— Je le savais ! Elles ont l'air un peu plus *funky*, ça te ressemble !

Ouin... En attendant, je ne suis pas habituée de ressembler à une fille à lunettes. J'imagine qu'avec le temps, je vais finir par m'y faire, mais pour le moment, ces lunettes, elles me restent coincées dans la gorge.

Clara

15 janvier

Estelle me boude. Je sais, le journal, c'est un peu comme son bébé. Mais moi, je n'ai pas besoin que mes poèmes soient publiés pour être heureuse, loin de là.

Depuis lundi, Estelle mange avec d'autres filles. Veut-elle que je culpabilise ? On dirait que c'est son but. Et ça fonctionne. Je n'arrête pas de me dire que je devrais peut-être continuer pour lui faire plaisir. Je me sens un peu poche de la laisser tomber en plein milieu de l'année… Toute cette affaire me tourmente.

—Clara ! Arrête de t'en faire, me raisonne Clémentine. La pilule est difficile à passer, mais elle va bien finir par se défâcher. Laisse-lui du temps, c'est tout.

—Je pourrais peut-être lui donner des poèmes jusqu'à la semaine de relâche et arrêter après ?

Clémentine me fait de gros yeux et prend une voix grave de directeur d'école.

— Clara !

— Quoi ?

— Tu lui as dit que tu arrêtais. Ce ne sont que des poèmes, après tout ! Tu ne lui as pas coupé un bras !

Ouach ! Je n'aime pas cette image. J'imagine un bras tranché en haut du coude, qui saigne abondamment. Je regarde mon amie avec une moue de dégoût, ce qui la fait rire. Elle s'étouffe presque avec sa bouchée de sandwich. Je ne peux m'empêcher de sourire à la voir rigoler ainsi.

J'aime bien Estelle, mais au fond de moi, je ne suis pas si triste d'être seule avec Clémentine. Tout est simple avec elle. Nous sommes très différentes, mais toujours sur la même longueur d'onde. Je suis vraiment déçue que nous ne soyons pas dans la même classe cette année. Sa présence me manque pendant les cours, même si nous passons tout le reste du temps ensemble.

Dans le cours d'anglais, nous lisons un roman… en anglais, évidemment ! C'est pénible ! J'ai l'impression de ne comprendre que la moitié de l'histoire. Je suis toujours en train de chercher la signification des mots que je lis dans le dictionnaire. Habituellement, j'aime lire, mais là, je déteste. C'est trop difficile pour moi. Je n'arrive pas à apprécier l'histoire ni à m'identifier au personnage. C'est frustrant.

Mon regard s'évade par la fenêtre. Les arbres dénudés doivent grelotter par une telle température. Une feuille brune et racornie est restée accrochée à la branche d'un gros chêne, et elle vole au vent sans se détacher. Elle a sûrement tout un caractère, celle-là, pour ne pas s'être envolée comme les autres feuilles. La vue doit être si belle de là-haut...

— Clara Perrier !

En entendant mon nom, je me crispe sur ma chaise. Mon enseignante me regarde avec de gros yeux en me faisant signe de retourner à ma lecture. J'obtempère immédiatement. Je me sens tellement mal de m'être fait avertir. Ce n'est pas dans mes habitudes.

Justement, à la fin du cours, lorsque je passe devant son bureau, madame Green m'interpelle :

— *Clara, I don't know why, but since you've been back from the holidays, you seem distracted. Several times, I've noticed that you didn't do the assignments I gave you. You never used to do that before*[1].

---

1. Clara, je ne sais pas pourquoi, mais depuis le retour des vacances de Noël, j'ai l'impression que tu as la tête

François, qui est dans ma classe cette année, passe juste derrière moi à ce moment-là et entend ce que madame Green me dit.

—*It's not her fault, Mrs. Green, she's in love*[2] !

Oh non ! Il vient de dire à tout le monde que je suis amoureuse ! Mon visage se transforme instantanément en camion de pompiers. J'ai presque l'impression d'entendre les sirènes. Je balbutie quelque chose d'incompréhensible et je quitte la classe précipitamment.

François me rattrape dans le corridor. Ne pourrait-il pas me laisser tranquille ?

—Mais pourquoi tu te sauves ?

—Tu sais très bien pourquoi, dis-je, essoufflée.

—Parce que j'ai fait une blague devant la prof ?

Je ne réponds pas. François tire un peu sur la manche de mon polo.

—Hey ! Attends, s'entête-t-il. On peut en parler.

Je m'arrête.

—Parler de quoi, au juste ? C'est peut-être le genre de truc que tu aurais pu dire devant Luis ou Étienne, mais moi, je n'ai vraiment pas aimé ça.

---

ailleurs. Plusieurs fois, j'ai remarqué que tu ne faisais pas le travail que j'avais demandé. Cela ne t'arrivait jamais avant.

2. Ce n'est pas sa faute, madame Green, elle est amoureuse !

Je n'ai aucune envie qu'on raconte ma vie amoureuse à mes profs.

—Tu le faisais bien dans le journal étudiant! C'est quoi la différence?

Graaaah! C'est quoi la différence? La différence, c'est que je le faisais de manière anonyme. Et j'ai écrit une seule fois un poème d'amour dans le journal. Mais je ne réponds rien à François. Je me contente de le dévisager et je repars vers mon casier. À mon plus grand soulagement, il n'insiste pas.

Au dîner, je passe une demi-heure à me défouler en compagnie de Clémentine. Je brandis une branche de céleri et un bâtonnet de carotte en l'air. Mon amie est aussi d'avis que François a manqué de tact.

—Mais Clara, tu dois admettre que François a toujours été comme ça. Il en met souvent trop. Il est maladroit.

—Ce n'est pas une raison pour me ridiculiser!

—Je sais, je sais…

Je suis tellement ébranlée que je défais en mille miettes à coups de fourchette mon morceau de pouding chômeur.

—Tout doux! Il ne t'a rien fait! blague Clémentine.

Lorsque nous avons fini de manger, nous allons à la place de l'Amitié pour terminer notre devoir d'univers social. Nous avons toutes les deux un cours cet après-midi, l'une après l'autre. J'aimerais mieux me plonger dans *La voleuse de livres*, le roman que j'ai emprunté à la bibliothèque, plutôt que de faire ce devoir... Je me reprendrai ce soir.

Pendant que je cherche dans mon agenda le numéro des pages que nous devons compléter, je me rends compte que ce n'est pas du tout dans mes habitudes de terminer mes travaux à la dernière minute comme aujourd'hui. Mais ça m'arrive de plus en plus souvent. Ce que ma prof d'anglais m'a dit tantôt me revient en mémoire. Il faudrait que je reprenne mes études en main...

Nous n'avons répondu qu'à deux questions quand Étienne vient nous rejoindre. Mon Étienne. Il s'assoit à côté de moi et jette un coup d'œil sur mon cahier. Je lui lance :

— Le prof d'univers social donne beaucoup de devoirs, hein ?

— Ouais...

On dirait qu'il est un peu mal à l'aise. Aurais-je fait quelque chose de mal ? Clémentine se lève en prétextant qu'elle a oublié un cahier dans son casier et nous laisse seuls.

Je suis gênée de demander à Étienne ce qu'il y a, alors j'attends. Les devoirs d'univers social ne sont qu'une introduction à ce qu'il veut me dire. Je connais très bien cette tactique, puisque j'agis souvent comme ça quand je veux parler d'un sujet délicat avec ma sœur, par exemple, ou si je prévois demander une faveur à mes parents. Je crois que c'est une manière d'amadouer l'autre ou de lui faire baisser un peu sa garde.

— Clara...

Bon. Je vais savoir ce qu'il en est.

— Clara, François m'a raconté ce qui s'est passé à la fin de votre cours d'anglais.

Je ne lui laisse pas le temps de terminer. J'ai trop peur qu'il me fasse des reproches.

— Je sais que j'ai été brusque avec lui. Je ne voulais pas...

Il met son doigt sur mes lèvres pour me faire taire. Comme dans les films. Je craque. Toutes mes idées se transforment en Jell-O, et lorsqu'il enlève son doigt, je ne sais plus quoi dire.

— Il s'excuse. François ne voulait pas mal faire. Tu sais, moi aussi, je suis assez secret. Et je préfère aussi prendre mon temps.

Ah! Il est tellement fin! Je lui souris. Maladroitement, il prend ma main et la serre. Il s'apprête à la lâcher quand je la retiens. Nous restons ainsi, assis l'un près de l'autre, sans parler. Je suis bien. C'est tout.

La cloche sonne la reprise des cours et rompt le charme. Zut! Mon devoir! Je l'ai complètement oublié!

Lili

21 janvier

Cet après-midi, Sandrine, notre professeure de ballet, est absente, alors on nous passe un reportage sur la danseuse Isadora Duncan. La pauvre ! Ses deux enfants se sont noyés et elle-même est morte lorsque son foulard s'est pris dans la roue de la voiture où elle prenait place. Elle a été étranglée. Même si madame Loiseau nous a dit qu'on pourrait avoir un test sur le contenu du film, je n'ai pas envie de le regarder. Je n'arrête pas de jouer avec les branches de mes lunettes.

Je les déteste. J'ai toujours l'impression qu'elles glissent sur mon nez. Il a fallu que maman coupe ma frange un peu plus court, car j'avais toujours des cheveux coincés entre mes sourcils et ma monture. Quand il neige, comme ce matin, c'est inévitable, tous les flocons du quartier viennent s'agglutiner sur mes verres. Et que dire de la buée qui me brouille complètement la vue dès que j'entre dans la maison ou dans l'école ! L'ENFER ! Environ la moitié des adultes portent des lunettes. Comment font-ils pour ne pas les lancer au bout de leurs bras ? C'est mon nouveau rêve. Si j'étais riche, très riche, j'achèterais cent paires de lunettes et, chaque jour, je m'amuserais à en détruire une. Toutes de manières différentes.

J'en écraserais une paire sous la roue d'une voiture.

J'en lancerais une dans la rivière.

J'en brûlerais une.

J'en ferais tomber une d'un avion.

Et j'en enverrais une dans le prochain vaisseau spatial à destination de la Lune.

Je suis sûre que je pourrais trouver cent manières de m'en débarrasser. Ça ferait une drôle de liste à dresser pendant mes temps libres ! Je pense que je vais en rédiger une, simplement pour le plaisir. Je n'aime pas briser les objets, mais juste d'y penser, ça me fait un peu oublier mes lunettes. Ou mes « barniques », a dit Romy hier pour me taquiner. « Des fonds de bouteilles », a ajouté Louka.

Depuis le retour des fêtes, j'ai retrouvé le Louka d'avant la mort de sa belle-mère. Il a recommencé à sourire et même à rire. Son voyage en Uruguay lui a fait du bien. Il a retrouvé le plaisir de danser, signe qu'il va mieux. Ce soir, Romy et moi nous rendrons chez lui pour préparer notre travail d'éthique et culture religieuse. Il nous a même invités à souper. Son père ne sera pas là, je crois que Louka m'a dit qu'il avait une rencontre avec son groupe de soutien pour le deuil. C'est son grand frère qui va nous surveiller. Je sais que nous ne sommes plus des enfants (je vais avoir quatorze ans dans trois semaines, yahou !), mais les adultes n'aiment jamais quand des ados se regroupent sous leur toit. Comme si on allait organiser un gros party... On doit faire une recherche sur des personnages marquants de l'histoire, il n'y a rien de particulièrement électrisant là-dedans ! Bah, Elias est gentil. Et Louka prétend qu'il est très bon pour réchauffer des pizzas congelées.

Après le film, nous avons notre cours de ballet jazz. Au retour des vacances, madame Loiseau, la directrice de l'école de danse, nous a d'abord annoncé qu'il n'y aurait plus de hip-hop et qu'on ferait du ballet jazz comme avant. Mais Mika, notre prof de ballet jazz, a accouché le 1er janvier (elle a même eu le premier bébé de l'année de notre ville !). Il fallait donc lui trouver un remplaçant. En fait, on devait trouver un remplaçant au remplaçant, puisque c'est Emmanuel qui nous enseignait le hip-hop cet automne jusqu'à ce qu'il remette sa démission avant Noël. Toute la classe a donc été super étonnée lorsque madame Loiseau nous a dit que ce serait elle qui nous enseignerait jusqu'en juin. Tout le monde était surpris, à part Jérôme, son fils, qui est dans mon groupe. Lui était loin d'avoir l'air enchanté. Avoir sa mère comme prof, ça doit être… spécial.

Lors des premiers cours qu'elle nous a donnés, nous étions tous un peu méfiants, mais je dois avouer que madame Loiseau est une prof de danse très compétente. Elle n'est pas meilleure que Mika, mais j'apprends beaucoup avec elle. Elle a une très bonne technique, elle explique bien, et quand elle danse, on voit qu'elle n'a pas perdu la main… ou plutôt le pied! Maintenant, je comprends mieux pourquoi elle a fondé sa propre école.

Comme madame Loiseau a moins de temps pour s'occuper du côté administratif, c'est-à-dire la paperasse, les courriels, les téléphones, les inscriptions, elle a appelé sa mère en renfort. Lucy, c'est son nom, n'a rien d'une grand-mère qui se berce toute la journée en regardant par la fenêtre. Certes, elle a des cheveux gris et s'habille avec des vêtements un peu passés de mode, mais elle est super active! Elle a toujours le sourire, et la douceur est sa marque de commerce. Même si nous ne la côtoyons que depuis deux semaines, elle connaît plusieurs de nos noms. Elle sait le mien, en tout cas!

Chaque cours de ballet jazz passe vite. Il y a maintenant un an pile que je danse avec les élèves du groupe A et une belle chimie s'est installée entre nous. Même Emma et Andréa, qui faisaient partie d'un petit groupe de filles qui m'intimidaient en première secondaire, me traitent comme une amie.

Le frère de Louka vient nous chercher tous les trois à la sortie de l'école. Il conduit une petite voiture qui n'est pas jeune jeune. C'est la première fois que Romy rencontre Elias. Elle l'avait sûrement vu aux funérailles de Marie-Julie, mais elle ne lui avait pas parlé. Elle s'assoit à l'avant tandis que Louka et moi prenons place sur la banquette arrière. Romy a l'air de bien s'entendre avec Elias. Ils parlent de tout et de rien, comme s'ils se connaissaient depuis des années.

Chez Louka, nous commençons à faire le plan de notre travail. Nous nous installons à la table de la cuisine, car c'est là qu'il y a le plus de place. Louka va chercher l'ordinateur portable de son père pour qu'on puisse aller sur Internet.

— Elias ! C'est quoi le mot de passe, déjà ? Je l'ai encore oublié ! crie Louka à son frère qui écoute la télévision au salon.

J'entends le frère de Louka soupirer, mais il se lève et vient taper le code.

—Je n'ai jamais compris pourquoi papa a mis un mot de passe, grogne-t-il.

Il prend un sachet de biscuits dans le garde-manger et retourne au salon. Et je remarque que Romy le suit des yeux. Tiens, tiens...

Nous travaillons pendant environ une heure avant le souper. Notre sujet est choisi, notre plan est fait et nous avons même eu le temps de commencer à chercher les informations. Tout roule!

Comme nous l'avait annoncé Louka, nous mangeons une pizza surgelée. C'est sûr que ce n'est pas de la pizza du resto, mais c'est tout de même bon. Elias a ajouté des olives noires sur le dessus. J'aime tellement les olives! Mes parents n'en achètent pas souvent à l'épicerie, il faudrait que je leur demande d'en mettre sur la liste.

—Tu étudies dans quel programme au cégep? demandé-je à Élias entre deux bouchées.

—Pour l'instant, je suis en sciences humaines. Je ne sais pas encore exactement où ça va me mener. J'ai pensé aller en traduction à l'université, mais c'est loin d'être coulé dans le béton. On verra.

—Est-ce que c'est vrai que les cours sont super difficiles? demande Romy.

—Tout dépend des matières... et des profs! La session dernière, je suis tombé sur un illuminé en philosophie. Ses cours étaient complètement fous.

J'ai hâte de voir comment ça va se passer la session prochaine.

—L'école n'est pas recommencée pour vous?

—Non, on reprend seulement lundi prochain.

—Wow! C'est génial d'avoir d'aussi longues vacances!

À la fin du repas, Elias et Louka se tiraillent pour avoir la dernière pointe de pizza. On dirait deux enfants de cinq ans.

—C'est moi qui vais la manger, je suis le plus vieux, le nargue Elias.

—Ce n'est pas juste, je suis en pleine croissance! répond Louka.

—Peut-être, mais si tu manges trop, tu vas devenir aussi gros qu'oncle Christian.

—Je danse un minimum de deux heures et demie par jour, je dépense bien assez de calories pour ne pas engraisser.

—C'est moi qui ai fait cette pizza!

—Pas vrai, tu l'as juste mise au four!

Ah! Ils ne parviendront jamais à s'entendre!

—Coupez-la en deux, c'est tout, leur suggéré-je.

—Non! me répondent en chœur les deux frères.

Ils font exprès! On dirait que c'est un jeu pour eux. Oui, c'est ça, c'est un jeu, et nous sommes leurs spectatrices.

—Bon, il faut vous décider. De toute façon, votre pointe aura refroidi si vous ne vous entendez pas. Tiens, je vais demander à Romy de trancher. Je crois qu'on peut la considérer comme une observatrice neutre, n'est-ce pas?

—D'accord, répondent-ils.

Romy semble gênée par ce que je viens de dire, sans que je comprenne vraiment pourquoi. Ce n'est pas le genre de truc qui la rend mal à l'aise d'habitude.

Nous la regardons, dans l'attente de son verdict.

—Je pense que c'est Elias qui devrait avoir la dernière part, car c'est lui qui est venu nous chercher, qui a fait cuire le souper et qui a mis la table.

Elias s'empare triomphalement du dernier morceau de pizza et l'engloutit en deux bouchées. Louka prend un air offusqué, mais je sais qu'il n'est pas fâché. Il ronchonne pour la forme.

Pour dessert, il nous offre le choix entre de la crème glacée beurre d'arachide et chocolat, ou du yogourt. Même s'il fait moins mille dehors, je choisis toujours la crème glacée! Et je n'ai jamais goûté à la saveur que nous propose Louka.

—Il faut que j'aille chercher le contenant dans le congélateur du sous-sol, par contre. Je reviens dans une minute.

—Attends, je viens avec toi. Je n'ai jamais vu votre sous-sol, je suis curieuse.

—Tu vas voir, il n'y a pas de quoi fouetter un chat.

Romy reste dans la cuisine avec Elias pour desservir la table.

En bas, Louka prend la crème glacée dans le congélateur de la chambre froide et me fait faire le tour du propriétaire. La chambre d'Elias est au sous-sol. Elle est beaucoup plus en ordre que celle de mon ami. Quand je lui en fais la remarque, Louka me donne un petit coup de coude.

—Hey! Je me suis amélioré, quand même! Il n'y a presque plus rien sur le plancher. J'ai repris mes bonnes habitudes.

—C'est vrai. Tantôt, j'ai réussi à aller jusqu'à ton lit sans rencontrer d'obstacles!

—Ha, ha! dit-il sans intonation. Tu te trouves sûrement drôle.

—Oui, très!

Et on rit tous les deux.

Clara

30 janvier

Chez moi, les bas sont frappés par une malédiction. C'est à croire qu'une fée vient les voler dans nos tiroirs! Cette fée Chaussette, si je l'attrape un jour, j'aurais deux ou trois choses à lui dire! Il ne me reste que quelques paires qui ne sont pas dépareillées. La fin de semaine, ce n'est pas un problème de porter un bas rayé rose et un autre vert, mais la semaine, c'est différent. Je n'ai pas envie que les autres le remarquent et rient de moi. Ce n'est pas le genre de chose qui préoccupe Lili, mais moi, oui! J'ai emprunté quelquefois des bas à ma mère, mais je sens bien que ça l'agace. Pour l'instant, elle se promène souvent en pantoufles une partie de la journée, mais ce ne sera pas toujours ainsi. Elle recommence à travailler dans un mois.

Lorsque je descends au rez-de-chaussée pour déjeuner, mes parents et Violette sont déjà à table. Mon bas droit est noir et troué, et mon gauche est orné de fleurs multicolores. Maman observe mes pieds et soupire de découragement.

—Bon, c'est décidé, ma poulette. Cet après-midi, ne prévois aucune popote, on va t'acheter des bas. J'ai vu dans la circulaire qu'il y en avait en spécial ce week-end. Et tant qu'à y être, un nouveau jeans ne te ferait pas de tort.

Je regarde ceux que je porte, des points d'interrogation dans les yeux. Dans sa chaise haute, Violette roucoule.

—Qu'est-ce qu'il a, mon jeans? Il est encore beau.

Il n'est pas usé. Il était délavé quand on l'a acheté et il a un peu pâli, mais très peu.

—Je sais, mais comme on dit en bon québécois, tu commences à avoir un peu d'eau dans la cave.

—Hein?

Je fronce les sourcils.

—Tes pantalons sont trop courts, s'exclame papa en riant.

—Ah… Est-ce que Lili et Violette viennent avec nous?

—Hier, Lili m'a dit qu'elle voulait rédiger et répéter son exposé oral. Quant à mademoiselle

Violette… Elle va passer un super après-midi avec son papa d'amour !

Maman regarde papa. Il a l'air surpris. Il apprend la nouvelle en même temps que moi.

— Ah oui ? Pas de problème, dit-il finalement en haussant les épaules. On va en profiter pour écouter le basketball à la télévision. Qu'est-ce que tu en penses, mini-puce ?

Violette tape sur sa tablette en lançant des petits cris d'excitation en guise de réponse. À croire qu'elle a réellement compris ce que papa vient de dire.

Après m'avoir acheté une demi-douzaine de paires de bas, nous avons parcouru les deux étages du centre commercial pour me trouver un jeans. On a beau croire que tous les jeans se ressemblent, c'est loin d'être vrai. Maman a même accepté de m'acheter un nouveau t-shirt super chouette. Il est tout noir, et le contour d'un gros cupcake est dessiné sur le devant avec de faux diamants. C'est ma sœur qui va être jalouse ! Même si c'est moi l'amoureuse des petits gâteaux, je suis certaine qu'elle va vouloir me l'emprunter pour aller à l'école.

Devant un grand magasin de sport, maman s'arrête brusquement.

—Oh! J'y pense, je pourrais m'acheter une nouvelle paire d'espadrilles. Les miennes sont très usées, bientôt elles vont avoir des trous! Et tant qu'à y être, je trouverais peut-être un soutien-gorge de sport confortable. Je déteste le mien.

Mon regard se tourne vers la librairie un peu plus loin.

—Est-ce que je peux regarder les livres pendant ce temps-là?

—Parfait! Je te retrouve dès que j'ai fini.

Je me dirige vers la librairie d'un pas léger. Je n'ai pas d'argent pour acheter un livre, mais je peux faire une liste de titres qui m'intéressent pour les demander à mon anniversaire, dans moins de trois semaines.

Comme je passe la porte de la librairie, quelqu'un touche mon bras pour attirer mon attention. Je sursaute.

—Allô, Clara!

C'est Étienne. Quelle belle surprise! On s'est vus hier, mais ça me fait tellement plaisir de le croiser aujourd'hui!

—Salut! C'est tout un hasard de te voir ici. Magasines-tu avec les autres gars?

Je regarde derrière lui à la recherche de François et Luis.

—Non, je suis venu avec ma mère.

—C'est drôle, moi aussi! Elle est au magasin de sport, là-bas. C'est une grande sportive, maintenant!

C'est vrai, puisqu'elle continue d'aller religieusement au gym deux fois par semaine.

Une jolie femme s'approche de nous. Elle est très grande. Elle n'est pas mince, mais pas grosse non plus. Sa crinière rousse tombe en cascade sur ses épaules. Elle porte un beau chandail rayé sous une doudoune en duvet noire. Aux pieds, elle chausse des bottes énormes bordées de laine de mouton. Il me faut quelques secondes pour reconnaître la chanteuse de la vidéo, la mère d'Étienne. Hou là là! Je ne suis pas du tout certaine d'être prête à la rencontrer. J'aurais envie de me sauver en courant ou d'enfiler la cape d'invisibilité de Harry Potter. Malgré moi, je me raidis.

—Clara, je te présente Chrystelle, ma mère. Maman, voici Clara.

Étienne aussi a l'air un peu mal à l'aise. Sa mère s'empare de ma main pour la serrer. Sa peau est douce et chaude.

—Je suis enchantée de te connaître, Clara. Étienne m'a beaucoup parlé de toi. J'avais très hâte de te voir.

Je me demande bien ce qu'Étienne a pu lui raconter... J'espère qu'il ne lui a pas dévoilé nos petits secrets! Ce n'est pas que nous en ayons tant que ça, mais je ne voudrais pas qu'il répète à sa mère tout ce que je lui dis. Je ne sais pas encore quel genre de relation ils ont, tous les deux.

Je fais un effort surhumain pour lui adresser un sourire des plus naturels.

— Ce week-end, nous sommes particulièrement occupés, car nous fêtons Flavie, la petite sœur d'Étienne. Mais la semaine prochaine, pourquoi ne viendrais-tu pas dîner à la maison? Samedi, peut-être?

Je ne sais pas quoi répondre. Je suis bien trop gênée pour aller chez Étienne et rencontrer sa famille, mais je ne sais pas comment décliner l'invitation sans paraître impolie. Et sans décevoir Étienne.

Chrystelle regarde sa montre.

— Il est tard! Étienne, il va falloir y aller.

Elle se tourne vers moi en souriant.

— À très bientôt!

Étienne ne dit rien. Je sais qu'il a compris mon malaise, je le vois dans ses yeux. Il effleure mon épaule du bout des doigts et dépose un baiser furtif et silencieux sur ma joue avant de suivre sa mère. Tout s'est passé si vite. Il m'a embrassée. Je sais que c'est un petit bec inoffensif sur la joue, mais c'est la première fois. Je touche l'endroit où il a posé ses lèvres. Ma peau est brûlante. Les livres ont perdu tout leur attrait. Je m'assois sur un banc dans l'allée du centre commercial et j'attends que ma mère vienne me rejoindre. J'ai le cœur dans les nuages.

Tout à coup, je redescends sur terre. Lili. Il est arrivé quelque chose à Lili !

Lili

30 janvier

Je danse sur mon lit avec la musique à plein volume. J'ai l'impression d'être la reine du monde. J'en profite pendant que Clara et maman ne sont pas là. Ça dérange moins papa que je mette la musique aussi fort.

Alors que j'effectue une double pirouette, mon pied glisse et je perds l'équilibre. J'essaie de me rattraper à un objet, d'agripper quelque chose, mais mes bras battent le vide et je m'écrase sur le sol. Ma jambe fait « crac ! » et se tord dans une drôle de position. La douleur est si vive que je hurle. J'ai mal, j'ai terriblement mal ! C'est insupportable !

La musique joue encore et je n'ai pas la force de me traîner jusqu'à mon bureau pour éteindre mon iPod. À cause de tout ce bruit, il faut bien une minute ou deux à papa pour venir me retrouver malgré mes cris.

Je danse sur mon lit depuis que je suis toute petite, même si mes parents m'ont demandé plusieurs fois d'arrêter. C'est plus fort que moi. Je rebondis toujours mieux sur mon matelas que sur le plancher.

Dès que papa me rejoint, il comprend qu'on ne pourra pas me soigner avec deux Tylenol. Ma peau a pris une teinte violacée et ma jambe a presque doublé de volume. Il habille Violette à toute vitesse et nous partons à l'hôpital. Dans la voiture, je n'arrête pas de sangloter. Je dois effrayer ma petite sœur, qui n'y comprend rien du tout !

Je sais que c'est stupide, mais je voudrais que Clara soit là. Je me sens mieux quand elle est près de moi. On est bonnes pour se consoler l'une l'autre.

À un feu de circulation passablement long, papa sort de l'auto pour racler un banc de neige. J'ai beau avoir super mal, je me demande s'il devient fou. Il prend un sac de plastique (il en garde tout plein, roulés en petites boules, dans le compartiment de sa portière) et le remplit de neige avant de me le tendre et de se rasseoir derrière le volant. Le feu passe au vert.

—Mets ça sur ta jambe, je suis sûr que le froid te fera du bien.

C'est froid, très froid, mais j'ai l'impression qu'en effet, je suis un peu soulagée. Ou c'est peut-être une illusion, parce que j'essaie de me convaincre très fort que je n'ai plus mal.

Papa préfère me conduire à l'Hôpital pour enfants de Montréal plutôt qu'à l'hôpital le plus près de chez nous. Il dit qu'on attendra sûrement moins longtemps.

Moins longtemps peut-être, mais à mon avis, c'est quand même trèèèès long. Il est évident que ma jambe est cassée, je ne vois pas pourquoi il faut rencontrer l'infirmière avant de voir le médecin.

Dans la salle d'attente, papa réussit à joindre maman qui est revenue à la maison. Quarante-cinq minutes plus tard, ma sœur et elle nous rejoignent à l'hôpital. Dès qu'elle me voit, Clara se met à pleurer.

—Je savais que quelque chose n'allait pas, je l'ai senti!

Depuis qu'on a mis le pied à l'hôpital, papa a beaucoup de difficulté à retenir Violette qui veut explorer les lieux. Il la garde sur lui ou la promène dans sa poussette pour ne pas qu'elle se traîne sur le plancher détrempé. Il n'a pas eu le temps de prendre des jouets, et je ne suis pas en état de la divertir, alors elle trouve le temps long. Ça se comprend, elle n'a pas encore un an.

Maman patiente une trentaine de minutes et repart avec Violette et Clara. Ma sœur voulait rester, mais maman a refusé. Clara a essayé de la convaincre, en vain. Moi, je n'avais même pas la force de discuter.

—Il n'y a aucune raison d'attendre tous ici. C'est le meilleur moyen d'attraper toutes sortes de microbes.

Je dois lui donner raison. Les enfants qui patientent à mes côtés n'ont pas de jambes cassées : l'un est couvert de boutons, un autre tousse comme un fumeur, sans compter la petite fille qui pleure sans arrêt et le nourrisson qui ne cesse de vomir derrière nous. Je n'ai qu'une envie, qu'on me soigne le plus vite possible et que je rentre à la maison.

Je finis par voir le médecin et après avoir fait des radiographies, on m'apprend – ô surprise ! – que ma jambe est cassée à deux endroits.

On me donne le choix entre un plâtre traditionnel et un en fibre de verre. Avec l'accord de papa, je prends celui en fibre de verre. Même s'il y a des frais supplémentaires à payer, il ne sourcille même pas, ce qui m'étonne.

—Tant qu'à avoir un plâtre, vaut mieux en avoir un à son goût, non ? me dit-il en souriant.

Il n'y a pas quatre minutes que ce plâtre est installé et je le déteste déjà, même s'il est rose.

Sept heures après être arrivés à l'hôpital, nous en ressortons, exténués. Papa pousse mon fauteuil roulant jusqu'à l'auto, parce que j'ai encore trop mal pour marcher.

Sur le chemin du retour, nous arrêtons au service au volant d'un *fast food*. Papa nous a bien acheté un jus et un biscuit dans les machines distributrices de l'hôpital, mais c'était il y a plusieurs heures. Pourtant, je n'ai même pas faim, ce qui est exceptionnel.

Alors que je brasse mes frites dans leur petit casseau, je me mets à déprimer. Il y a peu de temps, j'ai appris que j'avais besoin de lunettes, et là, il y a cette jambe cassée. Quel sera mon prochain malheur ? Mon cœur se serre d'un coup. Ah non ! Zut de zut ! Comment vais-je pouvoir danser maintenant ?

Clara

7 février

Avant d'aller au lit, je discute un peu avec Étienne à l'ordinateur. J'ai toujours plus de facilité à lui parler par écrit que lorsqu'il est devant moi.

Clara : Mon père viendra me reconduire vers 11 h 15, c'est correct ?

Étienne : Oui, c'est super !

Clara : Ça va me faire bizarre de venir chez toi. J'ai un peu peur.

Étienne : Je commence à te connaître. Je sais que c'est le genre de chose qui doit te stresser.

Clara : Je ne te l'ai pas dit, mais j'ai eu mal au ventre toute la journée. Ça m'arrive souvent quand j'angoisse.

Étienne : Ne t'inquiète pas, tout va bien aller.

Clara : Je sais, je m'en fais toujours pour rien.

Étienne : Clara, j'ai oublié de te dire quelque chose. Ça m'est sorti de la tête.

Clara : Quoi ?

Étienne : C'est à propos de Flavie, ma sœur. Elle est… particulière. Est-ce que tu as déjà entendu parler de l'autisme ?

Clara : J'ai déjà entendu ce mot quelque part, oui…

Étienne : Flavie a neuf ans et elle est autiste. Elle a beaucoup de difficulté à communiquer. Il ne faut pas t'en faire si tu trouves que ses comportements sont bizarres, si elle t'ignore ou si elle se balance sur sa chaise.

Clara : OK…

Étienne : Et si jamais elle décide de te parler, ne sois pas surprise qu'elle te parle QUE du Moyen Âge. C'est normal.

Clara : …

Étienne : Tu es encore là ?

Clara : Oui, oui. Lili me parlait. Elle a besoin de l'ordinateur. Je dois te laisser.

Étienne : Pas de problème. On se voit demain !

Clara : Oui, à demain.

Étienne : Dors bien surtout. XXX

Clara : XXX+1 !

Avant de fermer ma session, je touche l'écran du bout des doigts, là où Étienne m'a écrit trois X. Trois petits baisers. Dans la vraie vie, on ne s'est pas encore embrassés sur la bouche, mais ça a failli quelques fois. Il n'est pas encore mon chum et je ne suis pas sa blonde, mais… on s'en approche.

Clara

8 février

Papa me dépose devant la maison d'Étienne à onze heures et quart. Mes parents ont été très surpris quand je leur ai dit que j'allais chez un ami garçon. Il a fallu que je leur explique ma relation avec Étienne. Ça n'a pas été facile. Lili, qui était à côté de moi à ce moment-là, a éclairci la situation à sa manière.

— Écoutez, c'est son chum… mais c'est pas son chum. J'ai essayé de comprendre, mais je n'y suis pas arrivée. La seule chose que je peux vous dire, c'est que c'est un très gentil garçon !

Il neige beaucoup. L'imposante maison d'Étienne est couverte d'un épais manteau blanc. Les lumières de Noël suspendues à la gouttière et aux branches du sapin, dans la cour, n'ont pas été enlevées.

J'hésite quelques secondes avant de sonner. En fait, je ne sais pas si je dois sonner ou frapper.

J'appuie finalement sur la sonnette. Deux coups. Il neige tellement que si je reste trop longtemps dehors, je vais me changer en bonhomme de neige!

C'est Étienne qui m'ouvre la porte. Comme il est beau! Tous les jours à l'école, il a son costume: pantalons bleu foncé, polo blanc, veste avec le logo de l'école, souliers de cuir. Aujourd'hui, je vois le vrai Étienne, celui que j'ai côtoyé tout l'été à la maison des jeunes. Sauf que cet été, il portait des shorts! Je chuchote:

—Allô.

—Salut!

Étienne m'aide à enlever mon manteau et le suspend dans la penderie. Face à l'entrée, un magnifique escalier en spirale s'élève jusqu'au deuxième étage. Au plafond, un lustre, qui est éteint pour le moment, attire l'œil des visiteurs.

Je croise les bras devant moi, bien collés contre mon corps, comme pour me réchauffer. Je n'ai pas froid, mais c'est une manière de me sécuriser. Je tremble un peu quand je suis nerveuse.

—Les chambres sont à l'étage. Ici, il y a le salon, et là-bas la cuisine et la salle à manger.

Je suis Étienne jusqu'à la cuisine où se trouvent sa mère et sa sœur.

—Clara! Je suis contente que tu sois venue! Je m'occupe des derniers préparatifs du dîner.

Effectivement, tous les ronds du poêle sont occupés. Elle s'approche de moi et pose deux baisers sonores sur mes joues en faisant bien attention de ne pas me toucher avec ses mains puisqu'elles sont couvertes de farine.

— C'est dommage, Simon, le père d'Étienne, a été appelé en urgence au laboratoire. Un frigo a cessé de fonctionner. Comme les chercheurs y conservent des échantillons très importants, il est préférable qu'il soit sur place pour superviser. Si nous sommes chanceux, il reviendra avant qu'on arrive au dessert.

Flavie, la petite sœur d'Étienne, est assise au comptoir. Elle n'a même pas tourné la tête lorsque je suis entrée. Ce que je remarque tout de suite, c'est la longueur de ses cheveux. Ils descendent plus bas que ses fesses. Ça doit être l'enfer à démêler! Flavie est une petite fille très jolie. Elle est rousse comme Étienne et leur mère, et son visage est saupoudré de taches de rousseur, ce qui lui donne un air coquin.

— Bonjour, moi c'est Clara, lui dis-je d'une voix douce.

Elle ne semble pas m'avoir entendue. Je n'ose pas répéter. Elle fait de drôles de petits mouvements avec ses doigts, un peu comme si elle jouait du piano dans les airs. Je trouve ça bizarre, mais je ne fais aucun commentaire.

— Flavie, Clara te salue. Est-ce que tu lui dis bonjour en retour ? lui demande Chrystelle le plus naturellement du monde.

Ça ne doit pas être la première fois que survient ce genre de situation.

La petite fille tourne brièvement la tête vers moi et retourne à son occupation. On dirait qu'elle essaie de reproduire une maison ou un château sur le comptoir avec les paillettes de sucre qu'on utilise habituellement pour décorer les gâteaux.

— Flavie, Clara est l'amie d'Étienne et notre invitée, on doit lui souhaiter la bienvenue.

— Mon château est à l'échelle. La famille royale habite dans le donjon, là. Il manque encore le pont-levis…

Sa réponse me déconcerte. Étienne se penche à son oreille et lui chuchote quelque chose. Sans lever la tête, Flavie me dit enfin bonjour.

Étienne m'a bien avertie que sa sœur pourrait m'ignorer, mais cela me met quand même mal à l'aise. Je ne sais pas comment réagir.

— T'en fais pas, me rassure Étienne à voix basse.

— Vous pouvez aller au salon, les enfants. Le dîner ne sera pas prêt avant une bonne quinzaine de minutes.

Étienne m'entraîne vers le salon, que j'ai déjà vu lorsque je suis entrée dans la maison tantôt. Je m'assois dans un large fauteuil fleuri et Étienne prend place sur le sofa en face de moi. Il flotte une douce odeur boisée dans l'air. Il y a un foyer ici, sûrement ont-ils fait un feu hier soir.

Je n'ose pas parler. En réalité, je ne sais pas ce que je pourrais dire. Toute cette situation est trop irréelle. Qu'est-ce que je fabrique ici? Je jette un coup d'œil vers la porte. J'aurais envie de prendre mes jambes à mon cou et de me sauver. J'entends Chrystelle fredonner dans la cuisine. Elle a une très belle voix. Ça me calme.

— Est-ce que tu as envie que je te montre ma chambre? me propose Étienne.

— Oui, j'aimerais bien.

Je suis curieuse de voir l'endroit où il dort, mais je n'aurais jamais osé le lui dire. Nous montons à l'étage par le grand escalier.

Dès que je mets le pied dans la chambre d'Étienne, je me sens en terrain connu. Je le reconnais dans cette bibliothèque qui déborde de livres. Il a sûrement plusieurs recueils de poésie. Cette affiche de film asiatique en noir et blanc où on voit un homme en kimono saisi presque en vol, une jambe dans les airs pour frapper un adversaire invisible, c'est aussi tout lui. Étienne et son ami François sont deux grands adeptes de films de kung-fu. Et que dire des murs bleu pâle qui font que cette pièce dégage une atmosphère calme et sereine? Comme Étienne. Sa couette est carreautée dans les teintes de bleu et de gris, avec une touche de vert. Au-dessus de son lit, une gargouille de pierre est accrochée au mur. Elle doit sûrement veiller sur ses rêves. Et tiens… qu'est-ce que c'est que ça? Sur sa commode se dresse un petit cadre dans lequel se trouve un texte qui, de loin, ressemble à un poème. Je me rapproche et je constate que c'est bien un poème… C'en est même un que j'ai écrit!

— C'est mon préféré. J'aime le relire à l'occasion.

Je tourne la tête vers lui, émue. Qu'est-ce que je peux répondre à ça? Un merci? Tout est tellement nouveau. Comme je ne trouve pas les bons mots, je me contente de lui sourire.

Au bord de la fenêtre, il y a un gros fauteuil rembourré. Je m'y assois. C'est confortable. De la fenêtre, on a une très belle vue sur un immense chêne dont les branches dénudées touchent presque la maison.

— C'est là que j'étudie. L'été, il y a toujours une petite brise quand j'ouvre la fenêtre. Et j'entends les oiseaux chanter.

— Tu es chanceux d'avoir une aussi belle et grande chambre…

— Veux-tu voir celle de ma sœur? Elle est assez spéciale.

La chambre de Flavie est à l'autre bout du corridor. Lorsque Étienne ouvre la porte, je suis stupéfaite. On a l'impression d'avoir été transportés dans le temps et dans l'espace pour atterrir dans une pièce d'un château du Moyen Âge. Les murs semblent être en pierres des champs. Les carreaux de la fenêtre, en verre irrégulier, sont bordés de rideaux en tissu sombre et lourd qui tombent du plafond jusqu'au plancher. Des lattes de bois très larges couvrent le sol. Flavie a un lit à baldaquin immense entouré de voiles de la même couleur que les rideaux. La couette bien rembourrée est d'un beau blanc crème. Au pied du lit, il y a un coffre massif. Je me demande si la serrure fonctionne...

—Attends, tu n'as pas tout vu.

Étienne ouvre la garde-robe. D'un côté se côtoient des vêtements tout ce qu'il y a de plus normal : jeans, t-shirts, robes, chemisiers, et de l'autre se trouvent plusieurs robes médiévales de toutes les couleurs. Je m'en approche pour les toucher, mais Étienne arrête mon geste.

—Flavie ne veut pas qu'on touche à ses robes. Elles sont suspendues selon un ordre bien précis. Je sais qu'elle est en bas, mais si elle se rend compte que tu les as déplacées, elle se mettra dans une colère noire. Crois-moi sur parole, tu n'as pas envie de voir ça !

Évidemment, je n'insiste pas !

—Comment ta sœur s'est-elle découvert une passion pour le Moyen Âge? C'est un peu bizarre pour une fille de son âge, non?

—Je crois que c'est en lisant un livre l'an dernier... Les autistes ont souvent des intérêts spécifiques pour quelque chose. Ça diminue leur anxiété. Le fils d'une amie de ma mère ne s'intéresse qu'aux horaires d'autobus! Un autre petit garçon qu'on a rencontré une fois aimait les trains par-dessus tout. Il ne parlait que de ça!

Nous redescendons à la cuisine pour offrir à la mère d'Étienne de mettre la table, mais tout est déjà prêt. Wow! C'est digne d'un festin de roi. Il y a assez de nourriture pour ravitailler toute une armée.

—Assoyez-vous, les enfants, il faut manger pendant que c'est chaud.

Même si je n'ai pas très faim, je remplis mon assiette pour ne pas avoir l'air impolie. Un morceau de rôti, des pommes de terre dans une sauce crémeuse, des asperges grillées, une salade bien colorée. Je me demande comment je vais faire pour avaler tout ça!

Pendant le repas, Chrystelle me pose toutes sortes de questions et j'essaie d'y répondre de mon mieux. Je n'ai pas l'impression qu'elle me fait passer un test, je pense qu'elle est seulement curieuse de savoir qui je suis. Moi aussi, j'aimerais lui demander certaines choses, mais je suis trop gênée. Ce sera pour la prochaine fois, peut-être...

Flavie mange d'une bien drôle de façon. Dans son assiette, aucun de ses aliments ne touche les autres. Après chaque bouchée, elle dépose sa fourchette sur la table, bien droite, à côté de son assiette. Elle a aussi une drôle de manière de tenir son ustensile, comme si elle le prenait du bout des doigts. Je n'ai jamais vu personne agir ainsi. Parfois, elle laisse tomber des morceaux de nourriture entre son assiette et sa bouche. Personne ne s'en formalise, ça doit lui arriver souvent. Elle ne parle pas (c'est comme si elle était un peu coupée de nous), et elle fait les mêmes petits mouvements de doigts que tantôt. Étienne m'a dit que ça s'appelait du *flapping*. Il paraît que les autistes font souvent ça. La conversation n'a pas l'air de l'intéresser, on pourrait presque croire qu'elle ne nous entend pas, mais elle n'a pas l'air malheureuse du tout.

Je viens tout juste de terminer mon assiette quand, soudain, je me rends compte que quelque chose ne va pas. J'ai l'impression d'avoir les fesses mouillées. Voyons donc, qu'a-t-il bien pu se passer? Ah non! Ah non! Pas ça! C'est ma première journée de menstruations. D'habitude, c'est ce jour-là que ça coule le plus, alors je dois changer mes serviettes hygiéniques souvent. J'ai pris la peine d'en mettre une nouvelle juste avant de partir de la maison, mais elle s'est peut-être déplacée à un moment où à un autre. Mon jeans est-il tout imbibé de sang? Si je me lève, Étienne et sa mère vont voir mon pantalon taché. La honte! Qu'est-ce que je vais faire? Je ne peux pas rester vissée à ma chaise indéfiniment... Et je ne peux pas non plus attendre d'être seule, puisque je ne suis pas chez moi.

Je commence franchement à paniquer et je sens des larmes picoter mes yeux. Je ne vois aucune porte de sortie, je suis prise au piège. Tout ça à cause de mes foutues menstruations. Je déteste être une fille!

Le téléphone sonne et me fait sursauter. Étienne se lève pour aller répondre. Je comprends que c'est Luis qui l'appelle pour lui parler de leur devoir de maths.

—Oui, je l'ai fait... Je n'ai pas ma feuille devant moi... Non, je ne me souviens plus de ce problème en particulier... On est en train de dîner, Luis. Tu ne pourrais pas rappeler plus tard?... Non... Oui, oui...

Étienne lève les yeux au plafond et soupire bruyamment.

—OK, je vais aller chercher ma feuille, mais je ne peux pas te parler plus de deux minutes.

Il met sa main sur le combiné.

—Ça ne prendra pas beaucoup de temps. Luis est en train de capoter à cause d'un problème qu'il ne comprend pas. Je reviens tout de suite.

Il sort de la pièce et je me retrouve seule avec Chrystelle et Flavie. Et avec mon jeans taché. Je tortille mes mains en dessous de la table, ne sachant que faire. J'essaie de penser à une solution, mais je n'en vois aucune.

—Clara, est-ce que ça va?

Je lève la tête. Chrystelle me regarde en fronçant légèrement les sourcils. Elle a perçu que quelque chose n'allait pas. Deux larmes coulent sur mes joues. Elle s'approche de moi, inquiète, et prend mon bras doucement.

—Mais que se passe-t-il, ma toute belle?

Je n'ai pas le choix, il faut que je lui dise. Je ne peux pas faire autrement. Je ferme les yeux, je fais le vide dans ma tête et je lui avoue tout.

—Je crois que j'ai sali mes pantalons. J'ai mes règles et...

Mes lèvres tremblent et mon cœur galope dans ma poitrine.

La mère d'Étienne me regarde avec un sourire attendrissant.

—Oh! Pauvre petite chouette. Ne t'inquiète pas. Viens avec moi, on va aller à la salle de bain pour voir l'ampleur des dégâts.

73

Elle s'assure que tout va bien avec Flavie et m'accompagne jusqu'à la salle de bain à côté de la salle à manger. Dans le miroir, je constate qu'effectivement, une petite tache rouge, grosse comme une framboise, s'est formée à la hauteur de mes fesses, mais ça doit être beaucoup plus étendu à l'intérieur de mon jeans. Et Étienne qui va descendre d'une minute à l'autre. De quoi vais-je avoir l'air ?

— Attends-moi ici une minute, j'ai une idée, me dit Chrystelle avant de sortir à la hâte de la pièce.

Je reste là, debout comme une statue. Je me regarde dans le miroir. Je ne suis pas belle à voir. Mon visage est défait. Je savais que ce n'était pas une bonne idée de venir chez Étienne, je savais que ça se passerait mal, je…

— Je suis là, lance Chrystelle en revenant avec un jeans et une ceinture à la main. Tiens, essaie ça. Ils ne me font plus depuis longtemps. Ils vont peut-être être un peu grands pour toi, mais ça devrait tenir avec une ceinture. Étienne n'y verra que du feu. Entre ton jeans et le mien, il n'y a pas beaucoup de différence. Les gars, ça ne remarque pas ce genre de détails. Et il y a une tonne de serviettes hygiéniques et de tampons dans le meuble sous le lavabo, sers-toi.

Elle sort de nouveau et referme la porte derrière elle sans me donner le temps de lui répondre.

Je crois que je n'ai pas tellement le choix… J'enlève mon jeans souillé que je laisse sur le sol, je change de serviette hygiénique et j'enfile celui que la mère d'Étienne vient de m'apporter. Il est un peu trop long, un peu trop large pour moi, mais ce n'est pas affreux. Quelqu'un frappe doucement à la porte.

—Je peux entrer? demande Chrystelle qui m'attendait de l'autre côté.

—Oui, oui.

Elle me regarde des pieds à la tête.

—Pas si mal!

Elle se penche et roule le bas du jeans.

—Comme ça, c'est parfait!

Je dois bien admettre qu'elle a raison. On pourrait presque croire que ce sont mes propres pantalons. Chrystelle prend mon jeans taché et le dépose dans la laveuse.

—J'irai te le rapporter chez toi cette semaine. Je ne dirai rien à Étienne, ne t'en fais pas.

J'ai encore le goût de pleurer.

—Merci. Merci beaucoup. Je ne sais pas ce que j'aurais fait si…

Je n'arrive pas à terminer ma phrase. Chrystelle me lance un clin d'œil.

—Entre filles, faut bien s'entraider! Viens, on va manger le dessert.

Oui, il n'y a rien de mieux qu'un dessert pour se changer les idées.

Lili

12 février

Comme la vie est triste quand on ne peut pas danser. Deux fois cette semaine, j'ai rêvé que je dansais. La nuit dernière, je faisais du ballet. Je portais un très beau tutu, mes cheveux étaient noués en chignon, une douce musique jouait. Je ne me souviens plus de l'air, mais il y avait beaucoup de piano. J'effectuais une chorégraphie où se succédaient arabesque, entrechat et pirouette fouettée. Mon corps était léger et souple. Lorsque mon réveil a sonné, je n'ai pu m'empêcher de pleurer. Je n'accepte toujours pas ce foutu plâtre. On dirait qu'il me nargue : « Gna, gna, tu as voulu enfreindre les règles, eh bien, tu en paies le prix maintenant ! Ça t'apprendra ! » Plus jamais je ne danserai sur mon lit, j'en fais la promesse solennelle. Tout ce que je veux, c'est retrouver mes deux jambes et recommencer à danser.

À cause de mon plâtre, presque tous mes jeans sont trop serrés. J'ai donc adopté le style legging, avec ou sans jupe. Au moins, mon grand chandail rose pâle avec des étoiles s'agence bien avec mes leggings noirs. À la maison, je porte aussi des pantalons de jogging, c'est encore plus confortable.

À la polyvalente, ma vie est restée à peu près la même, si on ne tient pas compte du fait que je sors de la classe cinq minutes avant tout le monde et que je ne fais pas d'éducation physique. Romy m'aide avec mes effets scolaires, et nous descendons les escaliers tranquillement. Même si je le voulais, je ne peux pas courir. Le seul point positif, c'est que nous avons quelques minutes de plus chaque jour pour jaser. Mais c'est bien le seul avantage.

Mes après-midis à l'école de danse sont beaucoup plus perturbés par mon état. Il m'est impossible de suivre les leçons. Parfois, j'assiste aux cours, mais lorsque les autres répètent, ça ne sert à rien que je reste en classe. Madame Loiseau m'a proposé d'aller dans son bureau avec sa mère pour faire des travaux sur la danse, afin de ne pas trop perdre mon temps. Je crois qu'elle n'en pouvait plus de me voir soupirer et bâiller dans un coin du local, sur ma petite chaise droite.

Lucy est toute contente d'avoir de la compagnie. Je la regarde aller depuis un jour ou deux et je suis sûre qu'elle adore ce qu'elle fait, même les tâches les plus monotones ou répétitives. Elle sourit tout le temps.

— Ma petite Lili, je vais te confier une grande vérité de la vie, veux-tu? m'a-t-elle dit la semaine dernière. Le bonheur, c'est comme du sucre à la crème : si on en veut, on le fait.

C'est bien beau, mais dans ma situation, c'est comme si je voulais faire du sucre à la crème sans avoir de crème dans le frigo. On a beau avoir de la bonne volonté... Moi, mon bonheur, c'est de danser, et là, je ne peux plus. J'évite même d'écouter de la musique, car j'ai trop envie de me déhancher. Il faudrait que je trouve quelque chose que j'aime faire pour me désennuyer et remettre un peu de soleil dans ma vie.

Hier, Romy m'a apporté une grosse pile de revues de mode pour que je les feuillette. Il y a des filles qui portent des robes époustouflantes. D'autres vêtements accrochent aussi l'œil. Au moins, ça me fait rêver un peu... Quand je lui ai parlé des vêtements présentés dans ces magazines, Romy m'a conseillé de créer une sorte de *scrapbook* avec ceux que je préfère. J'ai pensé que c'était une bonne idée. Tant qu'à ne rien faire...

J'ai aussitôt trouvé un grand cahier, un tube de colle, comme ceux qu'on utilisait au primaire, et des gros crayons-feutres. J'ai décidé de coller les vêtements, surtout les robes, de la même couleur sur la même page. Il y en a de très courtes et de très longues. Certaines moulent le corps comme une deuxième peau et d'autres sont faites de mousseline vaporeuse qui semble flotter autour des mannequins.

Lucy regarde par-dessus mon épaule et rit.

— Lili, pourquoi coupes-tu leurs têtes ?

— Elles ont toutes l'air bête ! Tu as vu ? Aucun mannequin ne sourit. On dirait qu'on vient de leur annoncer que la fin du monde arrive demain. Les robes sont belles, mais je n'ai pas envie d'avoir leur visage dans mon cahier.

— Tu as tout à fait raison, ma chère.

Mine de rien, cet après-midi, j'ai rempli trois pages.

Frédéric continue de m'écrire de temps en temps. On a failli être amoureux, et maintenant on est des amis, même si on habite à des centaines de kilomètres l'un de l'autre.

Clara dit que j'ai un don pour être amie avec les gars.

— Et François, Étienne et Luis, ce ne sont pas tes amis peut-être ? lui ai-je répondu.

— Oui, mais c'est différent. Et Étienne est plus qu'un ami...

— Maintenant oui, mais avant?

— OK, tu as raison. Mais on ne se confiait jamais des choses très personnelles ou des secrets comme tu le fais avec Louka et Frédéric.

— Tu ne m'as pas dit que tu avais eu une conversation intime avec Étienne un jour, dans le parc, au début de l'été dernier?

J'ai une bonne mémoire, moi!

— Ah! D'accord, tu gagnes, grogne Clara. Mais je pense encore que tu as une bien meilleure chimie avec les garçons que moi.

Salut miss... miss quoi, au juste?
Je ne peux plus t'appeler miss Claquettes maintenant que tu as une patte dans le plâtre! En lisant ton dernier message, je pourrais te baptiser miss Baboune. Ce n'est pas la fin du monde, Lili. Tu ne l'as pas perdue, ta jambe, elle est seulement hors d'usage. Dans quelques semaines, tu vas pouvoir courir comme avant. Et je suis certain que tu seras capable de rattraper très vite tes cours de danse. Hey, tu es la

meilleure, tu ne le sais pas encore ? Tu n'es pas pour ronchonner pendant tout l'hiver ! Il faut bien que quelqu'un te secoue les puces.

Laurent, mon frère, s'est cassé une jambe il y a trois ans en sautant sur un trampoline. Sa situation était pire que la tienne, car il a été hospitalisé. Il a dû garder la jambe en l'air pendant des semaines. Son plâtre lui montait jusqu'à la taille. Tu le sais, Laurent est une petite boule d'énergie. Imagine-le cloué dans un lit d'hôpital : l'enfer ! Quand on se compare, on se console, non ?

Mes amours sont toujours au point mort. Un peu comme les tiennes, on dirait. Il y a pas longtemps, j'ai croisé Summer, mon ex, dans un magasin. Eh bien, j'ai été soulagé de voir que mon amour pour elle s'est envolé ! Je peux passer à autre chose, maintenant.

Ce n'est pas ta fête bientôt ? Qu'est-ce que tu as demandé comme cadeau ? Fais-tu un party ?

Je retourne à mon étude. J'ai un gros examen de maths après-demain.

À bientôt !

Fred

PS: Je veux un peu de soleil dans ton prochain message, OK? Sinon, je vais sérieusement m'inquiéter!

On dirait que Frédéric s'en fait pour moi. C'est vrai que le jour où je lui ai écrit, je me suis défoulée. J'étais totalement découragée. Aujourd'hui, je ne vois pas la vie en rose (comme mon plâtre!), mais mon moral va un peu mieux.

Frédéric a raison, c'est mon anniversaire dans quatre jours. Il faudrait qu'on organise un petit quelque chose de spécial. Habituellement, je prépare notre soirée de fête des semaines à l'avance, mais cette année, avec mes déboires de jambe cassée, je ne me suis occupée de rien. Qu'est-ce qui se passe avec moi? D'habitude, l'Halloween et ma fête sont les deux jours que j'attends avec le plus d'impatience, mais cet automne, je n'avais pas la tête à ça à cause de la tristesse de Louka, et là, je déprime. Il faudrait que je me secoue.

Même si ma sœur est loin d'être une organisatrice de premier plan, je lui demande son avis, car après tout, il s'agit de son anniversaire aussi.

— Je ne sais pas ce qu'on pourrait faire. Moi, je n'ai pas besoin de confettis et de feux d'artifice. J'aime les choses simples.

— Tu n'as pas besoin de me le dire, je te connais! Avec ma jambe cassée, toute ma vie a été bousculée. Il me semble que ça me ferait du bien de fêter notre anniversaire, même si on est un peu à la dernière minute.

—Je comprends... Mais c'est toi qui as les idées géniales d'habitude, pas moi.

Je décide d'insister.

—Je suis sûre que tu peux m'aider. Tu trouves des mots super compliqués pour tes poèmes, tu es bien capable de m'aider à préparer une fête, non?

Clara va à l'ordinateur et pianote sur le clavier. Je claudique jusqu'au bureau pour voir ce qu'elle fait. Elle est sur un site nommé Pinterest où il y a des images de toutes sortes. C'est drôle qu'elle connaisse ce site et pas moi... Elle ne va presque jamais sur le Web!

—C'est un site que je consulte souvent pour trouver des recettes, m'explique-t-elle.

Après quelques minutes, elle frappe le bureau de sa main.

—J'ai trouvé! On va se faire une journée spa! Regarde, il y a plein de suggestions ici.

Effectivement, à l'écran, on voit toutes sortes de photos où des filles de notre âge en robe de chambre et en sandales se font faire des pédicures, des manucures, des masques faciaux avec des tranches de concombre sur les yeux. OK, ce n'est pas un party avec de la musique, mais de toute façon, je ne peux pas danser. Quelle idée géniale!

— Oui, ce sera ça ! Merci Clara ! Je savais qu'à deux, on trouverait. On va inviter Clémentine et Romy. Estelle aussi, si tu veux. Et je suis certaine qu'on va avoir beaucoup de plaisir ensemble, même si on ne fait pas une grosse fête comme l'an dernier.

J'ai un petit pincement au cœur en pensant à cette journée. L'an dernier, j'étais encore avec Grégory... Grégory qui m'a menti pendant des mois et qui, le jour même de notre anniversaire, a embrassé ma sœur par erreur. Je crois que ça a été le début de la fin.

Lili

15 février

Ma mère nous a donné quarante dollars et nous sommes allées faire une razzia à la pharmacie hier soir. Nous avons acheté des séparateurs d'orteils, de la crème pour les pieds, une autre pour les mains et deux flacons de vernis à ongles. Il nous restait un peu d'argent, alors on a acheté une bougie qui sent bon la lavande ! On est aussi passées par l'épicerie où on a pris des avocats et des bananes pour nous faire un masque pour le visage. J'ai trouvé la recette sur Internet. Pour une fois que ma sœur va « cuisiner » quelque chose qu'on ne mangera pas !

— Tu vas voir, ça va être une journée fantastique. J'ai tellement hâte à dimanche ! dis-je à Romy.

C'est vendredi soir et nous sommes à la maison des jeunes. Clara jase avec Étienne un peu plus loin. Ses joues sont roses et ses yeux brillants.

Étienne a l'air d'être un bon garçon. C'est super romantique qu'il ait écrit anonymement à ma sœur pendant des mois. On ne voit ça que dans les films, d'habitude. J'espère qu'il ne lui fera pas de peine. Clara est si fragile…

— Penses-tu que l'amie de ta sœur est vraiment occupée dimanche, ou bien elle s'est inventé une excuse pour ne pas venir?

Je hausse les épaules.

— Je ne sais pas. Clara est en froid avec Estelle depuis qu'elle lui a annoncé qu'elle ne publierait plus de poèmes dans le journal. Ça va peut-être passer. Elles ont quand même été proches pendant un an. Mais Clémentine sera là, c'est l'essentiel!

Romy regarde vers la porte. On jurerait qu'elle cherche quelque chose, ou plutôt quelqu'un.

— Louka n'avait pas dit qu'il serait là autour de sept heures? Il n'est pas encore arrivé.

Je fronce les sourcils.

— Voyons, pourquoi tu t'inquiètes? Il a dit "autour de sept heures", il peut aussi bien arriver quinze minutes après!

Au même moment, Louka entre en compagnie de son frère.

— Venez, on est ici! s'écrie Romy.

Mon amie a l'air surexcitée. Je ne crois pas que ce soit Louka qui lui fasse cet effet, mais plutôt son frère…

—Comme ça, il paraît que vous avez besoin d'un joueur expérimenté pour jouer à Carcassonne ?

Je regarde mon amie avec des points d'interrogation dans les yeux. Elle fait comme si elle ne me voyait pas et enchaîne immédiatement :

—Oui ! Je vais aller chercher le jeu dans l'armoire.

—OK, je m'achète une bouteille d'eau et je reviens, dit Elias.

Louka et moi restons seuls à la table. Je replace mes béquilles qui étaient sur le point de glisser sur le sol.

—C'est quoi, cette histoire de joueur expérimenté ? Je sais qu'on n'est pas super bons, mais pourquoi avoir invité ton frère ? Anaëlle devrait arriver d'une minute à l'autre et elle connaît très bien les règles, c'est avec elle que j'ai joué la première fois.

Louka regarde autour de lui pour s'assurer que personne ne l'entend et il chuchote :

—Romy m'a accroché à la sortie de l'école de danse, tantôt. Tu étais déjà partie. Elle m'a supplié de trouver un prétexte pour qu'Elias soit là. C'est la seule idée que j'ai eue...

—Mouin... Romy peut trouver ton frère de son goût, mais il est beaucoup trop vieux pour elle. Ça n'a pas de sens.

— Je suis d'accord, mais je ne suis peut-être pas la meilleure personne pour lui en parler.

— Je vais avoir une sérieuse discussion avec elle, ne t'inquiète pas. Chut! Ils reviennent!

Tout le reste de la soirée, j'observe mon amie. Elle est pâmée devant Elias, qui n'a même pas l'air de la remarquer. C'est un garçon super gentil, comme Louka, mais ce n'est pas quelqu'un pour Romy. Pourquoi faut-il toujours qu'elle tombe amoureuse des mauvais garçons? L'année dernière, elle aimait le meilleur ami de Grégory, qui était amoureux de moi, et là, elle s'attache à un gars qui a cinq ans de plus qu'elle. Il est majeur!

Que vais-je bien pouvoir lui dire?

Clara

22 février

Il est très tard, mais je n'arrive pas à dormir. Trop d'idées se bousculent dans ma tête. Je regarde sur mon bureau les deux cadeaux qu'Étienne m'a donnés pour mon anniversaire : une petite lampe de lecture qu'on accroche à un livre et un bracelet d'argent avec mon nom. Le week-end dernier, nous avons eu notre journée « spa maison » avec Clémentine et Romy (et c'était vraiment cool !), alors il me les a remis seulement lundi.

Ce jour-là, nous sommes montés au deuxième étage de l'école, là où Clémentine et moi nous réfugions parfois. Elle ne devrait pas m'en vouloir d'avoir dévoilé notre cachette. Étienne avait mis la boîte contenant mes cadeaux derrière son gros classeur de maths, qu'il tenait contre sa poitrine.

La lampe, c'est une super idée. Je vais pouvoir lire tard le soir sans que Lili me harcèle pour que j'éteigne ma lampe de chevet. Et le bracelet m'a coupé le souffle. Il est si mignon, si délicat. Étienne m'a aidée à l'attacher à mon poignet et m'a fait le plus beau des sourires. Ses yeux pétillaient. Je me suis demandé si on allait s'embrasser. Son visage était tout près du mien. J'en avais envie, mais je n'osais pas. C'est alors que sont arrivées deux filles plus âgées que nous qui rigolaient et parlaient fort. Elles ont brisé la magie. Je me suis éloignée d'Étienne, rouge de timidité. Ce sera pour une autre fois.

Ce soir, c'était la rencontre de parents au collège pour le bulletin de la deuxième étape. J'y ai accompagné ma mère, et papa est resté à la maison avec Lili et Violette. La rencontre de parents de la polyvalente est prévue un autre soir.

Je n'ai jamais eu aussi honte de ma vie. Ça a commencé dès le début de la soirée, lorsque maman a récupéré mon bulletin. Le désastre! Toutes mes notes ont baissé, sauf en français. Ma moyenne générale a diminué de cinq points. Je n'ai jamais eu de notes aussi faibles! Je n'ai aucun échec (ouf!), mais pour une personne habituée à avoir des 80% et plus partout, c'est un sacré choc d'avoir des 60 et des 70% dans plusieurs cours.

J'ai vu dans les yeux de ma mère qu'elle n'était pas contente.

—On va aller voir tes profs, et après, on aura une bonne discussion.

Ça s'annonçait mal. Presque tous mes enseignants ont dit à ma mère que j'étais moins attentive ces derniers temps, que j'étais souvent dans la lune et que mes devoirs étaient incomplets ou pas faits du tout. Mes examens étaient généralement bons, c'était surtout mes travaux en classe et à la maison qui faisaient plonger mes notes.

Dans la voiture, maman est restée silencieuse. Je crois que j'aurais mieux aimé qu'elle me chicane. Son silence était lourd et inquiétant.

À la maison, papa et maman ont parlé seuls dans la cuisine. Ensuite, ils sont venus me retrouver au salon. J'étais dans mes petits souliers. J'aurais aimé que Lili soit là pour me donner un peu de courage, mais elle était déjà couchée (ou elle clavardait en cachette, allez savoir !). Je me suis calée dans les coussins du sofa, en imaginant qu'ils allaient peut-être absorber l'onde de choc qui m'attendait. Ou qu'ils pourraient m'aspirer dans un trou noir de l'Univers pour que je n'aie pas à affronter mes parents. Surtout ma mère.

—Alors, Clara, comment expliques-tu ce bulletin-là ? m'a-t-elle demandé.

— Je ne sais pas. J'avais moins le goût... et plus de difficulté à me concentrer...

— Et tu vas nous dire que tes notes n'ont aucun lien avec ton histoire avec Étienne ? a fait remarquer papa.

OK, c'est évident qu'il y a un lien. Étienne occupe mes pensées depuis des mois, lui qui était mon admirateur secret avant. J'ai le cerveau en compote et une boule dans l'estomac dès que je pense à lui. Je ne me reconnais plus. Mais je ne peux pas l'avouer à mes parents, sinon ils m'interdiront de le voir. Ce serait une tragédie.

— Non, non ! Il m'a aidée à faire mes devoirs plusieurs fois et il a de très bonnes notes à l'école. Ce n'est pas sa faute. Il n'est même pas dans ma classe... Je vais me reprendre, je vous le jure. Je vais faire tout ce qu'il faut, et vous allez voir, pour le bulletin de fin d'année, vous allez être étonnés.

Maman était loin d'être de mon avis. Ça se voyait sur son visage fermé et sévère.

— Tu as eu plusieurs occasions de te reprendre, Clara. Ce n'est pas seulement d'un travail ou deux dont on parle. Ta descente s'est échelonnée sur plusieurs semaines et elle concerne presque toutes tes matières. Nous devons prendre des mesures concrètes pour mieux t'encadrer.

Je voyais presque le couperet au-dessus de ma tête. Il fallait à tout prix que je réagisse pour pouvoir continuer de parler et d'écrire à Étienne les soirs de semaine et pour avoir la permission de le voir la fin de semaine.

— Maman, papa, écoutez-moi. Si vous m'interdisez de voir Étienne, ce sera pire.

Maman allait m'interrompre quand j'ai levé un peu le ton pour finir ce que j'avais commencé à dire.

— Je pourrais vous montrer mon agenda tous les soirs, si vous voulez. Je peux même vous montrer mes devoirs, comme ça vous pourrez vérifier qu'ils sont bien faits.

— C'est un début, a déclaré papa. Tu ne trouves pas, Jacinthe ?

Elle n'avait pas l'air convaincue. Papa lui a chuchoté quelque chose à l'oreille. Je l'ai vue hocher la tête, mais papa a poursuivi. Ils se sont regardés plusieurs secondes avant de me répondre.

— D'accord. Nous te laissons un mois. Dans un mois, je vais communiquer avec tes enseignants pour savoir si tes notes se sont améliorées. Si ce n'est pas le cas, ce sera fini, les visites chez Étienne et à la maison des jeunes, fini l'ordinateur dans votre chambre, et tu iras te coucher à huit heures tous les soirs.

Je repense à cette discussion et je sais qu'il faut vraiment que je mette les bouchées doubles dans les prochaines semaines. Je connais ma mère, elle est capable d'appliquer tout ce dont elle m'a menacé. Il faut aussi que j'en parle à Étienne et à Clémentine pour qu'ils m'aident.

Mon cadran indique 00 h 08. Je dois absolument dormir !

Clara

24 février

Aujourd'hui, je prépare des cupcakes pour Chrystelle, la mère d'Étienne. Je veux la remercier pour l'autre jour. Étienne ne s'est jamais aperçu que je m'étais changée, et Chrystelle est venue me rendre mes jeans fraîchement lavés chez moi, sans lui en parler. J'essaie de cacher le moins de choses possible à Étienne, mais cet épisode de ma vie sera un petit secret entre sa mère et moi. Je ne l'ai même pas dit à Lili !

Pour une fois, j'ai décidé de cuisiner des petits gâteaux plus classiques. Ils seront au chocolat tout court. C'est leur glaçage qui sortira un peu de l'ordinaire. Je vais faire une meringue italienne, légère et sucrée, et quand je la déposerai sur le dessus de chaque cupcake avec ma douille, ça ressemblera au tourbillon de crème glacée qu'on nous sert dans les crémeries l'été. Ensuite, je tremperai cette garniture dans le chocolat noir. Ce sera très beau. Et surtout très bon.

J'ai choisi de faire des cupcakes moins excentriques que d'habitude, car je ne connais pas encore bien les goûts de Chrystelle. La plupart des gens aiment le chocolat, non ?

Papa vient me reconduire chez Étienne au début de l'après-midi. En plus d'apporter ce cadeau, j'y vais pour réviser en vue de notre examen de sciences. Hier soir, je lui ai parlé de la conversation que j'ai eue avec mes parents et il s'est offert pour m'aider avec mes travaux et mon étude. Il a aussi peur que moi qu'on ne puisse plus se voir. Je suis certaine que ça va me motiver d'étudier avec lui.

Je tiens bien précautionneusement l'assiette contenant ma douzaine de cupcakes. Étienne m'ouvre et lorsqu'il voit mon présent, son sourire s'élargit.

— C'est pour moi ?

— Non, c'est pour ta mère !

— Ah, bon. Viens, elle est à la cuisine. Elle aussi popote aujourd'hui, pour changer.

Il me fait un clin d'œil. Je sais que Chrystelle partage mon amour pour la préparation des desserts. Les cheveux remontés en un chignon lâche, elle porte un t-shirt noir et d'épais panta-lons de pyjama en molleton rose et noir. Lorsqu'elle me voit, elle sursaute.

—Clara! Je ne suis même pas habillée! De quoi ai-je l'air? Étienne, tu aurais dû me rappeler que Clara venait à la maison aujourd'hui.

—Je pensais que tu le savais.

—Oui, mais j'ai oublié. J'essaie une nouvelle recette de gâteau aux carottes et je veux être cer-taine de ne pas me tromper, sinon les gars au laboratoire de papa n'auront pas de collation demain matin. Mais qu'est-ce que c'est? demande-t-elle en montrant du doigt le plat que je tiens.

Tout à coup, je suis gênée de lui offrir ces petits gâteaux. Et j'ai peur de devoir expliquer à Étienne pourquoi je les donne à sa mère. Je n'aurais peut-être pas dû…

—C'est pour toi.

—Oh! Tu es tellement gentille! Merci!

Elle essuie ses mains sur un linge à vaisselle et vient me donner deux gros becs sur les joues.

—Wow! Je n'en ai jamais vu d'aussi beaux! Je vais y goûter tout de suite!

Chrystelle mord à belles dents dans un de mes cupcakes. Je suis toujours stressée quand des per-sonnes que je ne connais pas beaucoup mangent mes desserts. J'ai tellement peur qu'ils n'aiment pas ça!

— Dé-li-cieux ! Je veux la recette ! Comment t'y es-tu prise ?

Un peu embarrassée, j'explique à Chrystelle comment j'ai fait ces cupcakes à la forme si particulière. Elle m'écoute attentivement en hochant la tête.

— Ah bon ! Tu viens de m'apprendre quelque chose de très intéressant !

— Je t'avais dit, hein, que Clara était une vraie chef pâtissière ! Elle écrit même un livre de recettes.

— Un livre de recettes ? s'étonne-t-elle.

— Ben... pas un vrai. Je vais le faire imprimer moi-même dans un magasin.

— Est-ce que je pourrai en avoir un exemplaire ? Je suis certaine que toutes tes recettes doivent être succulentes !

Flavie arrive dans la cuisine vêtue d'une de ses robes du Moyen Âge. Ses cheveux sont noués en deux interminables tresses qui tombent sur ses épaules. Je la trouve très jolie. Elle jette un coup d'œil au plateau de cupcakes.

— Tu peux en prendre, si tu veux, lui dis-je.

Je sais que je les offre à sa mère, mais peut-être que ça lui ferait plaisir d'en manger aussi.

— Pas d'œuf, pas de beurre, pas de lait et surtout pas de chocolat pendant le carême, me répond-elle très sérieusement.

Et elle continue son chemin comme si de rien n'était. Je regarde Étienne, les yeux pleins de questions. Il s'approche de mon oreille et m'explique qu'au Moyen Âge, les gens respectaient le carême à la lettre et que, même si sa famille n'est pas très pratiquante, Flavie fait carême cette année pour la première fois. Et chez eux, on mange du poisson tous les vendredis.

Oh là là ! Quel casse-tête !

Lili

Dernière journée avant la relâche. Je passe encore l'après-midi avec Lucy, la mère de madame Loiseau. C'est comme si elle était devenue une bonne amie. C'est drôle de dire que j'ai une amie qui a au moins cinquante ans de plus que moi !

Au fil des jours, j'ai continué mon cahier de mode. J'en ai même commencé un deuxième. Je quête des revues autour de moi, parce que je n'ai pas beaucoup de sous. Maman m'en a bien acheté deux ou trois, mais je ne veux pas lui en demander trop. Plein de filles de ma classe m'en ont apporté : Gabrielle, Josiane, Maria et Emma. Je crois qu'elles ont un peu pitié de moi. C'est Gabrielle qui m'en a donné le plus, car sa mère a un salon de coiffure et il y en a des tonnes à son travail.

À force de voir des robes de toutes sortes de style, j'ai commencé à en dessiner en m'inspirant de celles que je préférais. Je ne peux pas dire que je sois très bonne en dessin, mais je me débrouille. Pour l'instant, je fais surtout des esquisses au crayon de plomb. Il n'y a que sur quelques robes que j'ai mis de la couleur. J'ai aussi dessiné des chemisiers, des vestons et des pantalons, mais c'est beaucoup plus difficile.

J'ai étalé des robes découpées sur mon coin de table. Lucy et moi partageons la même, car la pièce est assez petite. J'ai mon côté et Lucy a le sien. Mais cet après-midi, elle ne travaille pas vraiment. Elle a fini toutes les tâches administratives qu'elle avait à faire. Du coup, elle est là pour répondre au téléphone, mais il ne sonne pas. Pour se désennuyer, elle tricote une jolie veste pour sa petite-fille. Ça a l'air compliqué, mais c'est ravissant.

Je regarde les robes pour m'aider à en dessiner une. Elles sont toutes assez décolletées et confectionnées avec des tissus fluides et légers.

—Ça ferait de très belles robes pour danser, dis-je à haute voix pour moi-même.

Lucy lève la tête de son ouvrage. Elle tend le cou et jette un coup d'œil sur ce que j'ai découpé.

—Tu as tout à fait raison. Ce pourrait être de jolis costumes pour le spectacle de fin d'année...

Elle laisse la phrase en suspens comme si elle voulait me faire comprendre quelque chose. Je hausse un sourcil, mais je ne dis rien. Plusieurs idées se bousculent dans ma tête. Est-ce qu'il serait possible que… Voyons donc!

Je prends un crayon et je commence à dessiner une nouvelle robe. Quand je dessine, je ne pense pas, car mon cerveau est incapable de se concentrer sur deux choses à la fois. Après une demi-heure, je décide de me lever pour aller me dégourdir les jambes. Ou plutôt la seule de mes jambes qui est encore fonctionnelle.

—Je vais faire un petit tour, Lucy, je reviens, dis-je en prenant mes béquilles.

J'arpente le corridor tranquillement. Je regarde les photos sur les murs. Ce sont les photos des spectacles de danse des dernières années. Nous sommes toutes costumées, maquillées. C'est vrai que les robes que j'ai découpées aujourd'hui seraient parfaites pour le spectacle. Avec quelques modifications, évidemment. Mais ce sont des vêtements hors de prix, conçus par de grands designers! L'école de danse n'aurait jamais les moyens de se les procurer. Une idée commence à germer dans mon esprit. C'est une idée complètement folle, mais ça ne change pas tellement de celles que j'ai d'habitude. La folie est ma marque de commerce.

Je retourne dans le bureau et je regarde Lucy quelques instants, songeuse.

—Tu avais raison tantôt… Lucy, est-ce que tu sais coudre?

Elle se met à rire.

—Bien sûr. Je crois que presque toutes les femmes de mon âge savent coudre. Si tu savais combien de vêtements j'ai faits à mes enfants et à mes petits-enfants au fil des années! J'ai même déjà donné un cours au Cercle des Fermières de la ville, mais c'était il y a très longtemps.

—Si je dessinais des robes pour le spectacle, est-ce que tu serais capable de les faire?

Elle hésite un peu.

—À vrai dire… Il faudrait que je demande l'aide de mes amies du Cercle des Fermières, justement, pour le patron, mais c'est faisable. Je sais que des frais sont habituellement chargés aux parents pour les costumes du spectacle de fin d'année. Que ce soit pour acheter du tissu ou un costume en magasin, je ne crois pas que ça fasse de différence…

—Mais est-ce que ça te tente?

Je retiens mon souffle, même si j'ai le sentiment qu'elle va accepter. C'est le genre de défi qu'elle aime. Je pense qu'elle trouve parfois sa vie un peu monotone. Elle a besoin de quelques étincelles, et elles pourraient bien se trouver dans ce projet.

—C'est sûr que ça me tenterait, voyons!

Yé! Il ne me reste plus qu'à en parler à madame Loiseau. J'espère qu'elle va dire oui! Ces temps-ci, j'ai besoin de bonnes nouvelles pour me faire oublier mon satané plâtre et mes horribles lunettes.

Lili

3 mars

Aujourd'hui, c'est la première journée de la semaine de relâche. Enfin !

Quand la semaine de relâche arrive, ça signifie qu'on s'approche de la fin de l'année. Ou presque. OK, c'est encore loin, mais j'essaie d'être positive pour m'encourager. Autre bonne nouvelle, dans trois semaines on m'enlèvera mon plâtre. J'ai tellement hâte de marcher normalement, de danser de nouveau ! Le médecin m'a bien dit qu'il y aurait une réadaptation à faire, puisque les muscles de mon mollet ont été au repos pendant plusieurs semaines, mais je n'ai pas peur. Du moment où je pourrai marcher sur mes deux pieds, je sais que tout ira bien.

La semaine dernière, madame Loiseau a été très étonnée de ma demande. Mais je crois qu'elle commence à me connaître ; ce n'est pas la première fois que je la surprends ! Lucy était avec moi quand je lui ai parlé et elle a plaidé en ma faveur. Il n'a pas fallu longtemps pour la convaincre.

Les profs de danse ont déjà déterminé le thème du spectacle et, au moment d'imaginer les costumes, je devrai le respecter. Ce sera « Il était une fois ». C'est très inspirant ! Elles ont même commencé à mettre au point leurs chorégraphies. Il y aura un tableau sur les lutins, un deuxième sur les fées et un troisième sur l'univers des princesses. Dans les prochains jours, je vais donc dessiner plusieurs robes, puis on verra lesquelles seront les plus belles et les mieux adaptées au spectacle. Au retour du congé, je vais démêler tout ça avec Lucy. Il faut aussi avoir à l'esprit qu'on peut danser en pantalon, en léotard ou en shorts. Et il y a des garçons dans le groupe. Ça me fait beaucoup d'ensembles à imaginer !

Cet après-midi, Clara et moi gardons Violette. Maman reprend le travail la semaine prochaine, mais elle voulait rencontrer son patron aujourd'hui pour planifier son retour. C'est la première fois depuis un an que je la vois mettre ses talons hauts et son tailleur. Elle est toute contente de rentrer encore dans ses vêtements d'avant sa grossesse.

Quand maman travaillera, Violette se fera garder par ma grand-mère jusqu'à la fin de l'été. Et en septembre, ma petite sœur devrait avoir une place dans une garderie en milieu familial. C'est presque impossible d'avoir une place en mars. Mais Violette n'ira pas chez ma grand-mère tous les jours, car maman a demandé à son patron de travailler seulement quatre jours par semaine. Elle sera donc en congé tous les vendredis. Je la trouve chanceuse!

Violette est assise sur sa chaise haute avec quelques cuillères de bois devant elle qu'elle chique et qu'elle tète en regardant Clara préparer des cupcakes. Ma sœur veut tester une nouvelle recette pour son livre: des cupcakes au chocolat et au piment fort. Je me demande où elle trouve toutes ces idées! Je ne sais pas du tout si le chocolat et le piment fort font un bon mélange, mais je vais pouvoir le vérifier un peu plus tard. Le t-shirt de Clara est tout éclaboussé de farine et de poudre de cacao, elle en a jusque sur la joue.

Son livre est presque terminé. C'est la dernière recette qu'elle veut ajouter. Ensuite, il ne restera plus que la correction et l'impression. C'est un projet de longue haleine. J'admire Clara, car elle n'a jamais abandonné malgré les difficultés. On dirait que le fait de rencontrer la mère d'Étienne, de lui parler de desserts et d'échanger des trucs et des recettes avec elle lui a même donné un petit coup de pouce. Ma sœur est rayonnante quand elle revient de chez Étienne. J'ai toujours hâte qu'elle me raconte ce qui s'est passé. Il faut parfois que je lui tire les vers du nez, car elle n'a pas tendance à me donner beaucoup de détails !

Le téléphone sonne. Je m'empresse de répondre, puisque Clara n'est pas en mesure de le faire. C'est Romy. Elle a l'air surexcitée.

—Lili, tu ne devineras jamais quoi !

—Si tu ne me donnes pas plus d'indices, je ne peux pas deviner !

—Tantôt, j'ai téléphoné à Louka parce que je ne me souvenais plus du titre du film dont il m'avait parlé la semaine dernière. On a pas mal jasé et j'ai appris qu'Elias travaille au magasin de musique du centre commercial.

Ah non ! Elle ne va pas encore me parler d'Elias ! Elle n'a que lui en tête ces temps-ci.

—Romy, on en a parlé l'autre jour. Il faut que tu te fasses une raison ! Elias a cinq ans de plus que nous. Ce n'est pas un garçon pour toi.

—L'âge, ce n'est pas grave. Je l'aime bien, et je suis certaine qu'il me trouve aussi de son goût. Il m'a touché le bras à la maison des jeunes la dernière fois.

—Il essayait de rattraper un pion qui avait roulé en bas de la table.

—Peut-être, mais je suis sûre qu'il a fait exprès.

Mon amie est rudement entêtée… à croire que j'ai déteint sur elle ! Elle poursuit, plus déterminée que jamais :

— Je pense aller le voir demain. Louka m'a dit qu'il travaillerait.

J'imagine Romy en train de soutirer ces informations au pauvre Louka... Il est aussi d'avis que ce n'est pas une bonne idée que Romy s'accroche à son frère. Il a essayé de lui parler, sans succès.

— Lili, si tu ne veux pas venir avec moi, je vais y aller toute seule. C'est ma chance, elle ne va peut-être pas se représenter !

— Romy, j'ai une jambe dans le plâtre. Je ne peux pas me promener partout dans le centre commercial en béquilles.

— Il y a des fauteuils roulants au service à la clientèle. Je vais te pousser. Ce sera drôle !

Je soupire. Est-ce que j'ai le choix ? Je ne suis pas pour laisser ma meilleure amie seule quand elle a besoin de moi... même si je ne suis pas d'accord avec ce qu'elle veut faire. Et même si j'ai une jambe dans le plâtre.

— D'accord, d'accord. Mais il faut que je demande à ma mère quand elle va revenir à la maison à la fin de l'après-midi.

— Je savais que je pouvais compter sur toi !

— Ouin...

— Comment devrais-je m'habiller ? Est-ce que tu crois que je devrais me maquiller ?

Ouf. Je sens que je n'en ai pas fini avec elle...

Lili

Je me sens complètement nouille. Ça fait deux fois qu'on passe devant le magasin de musique en regardant à l'intérieur, du coin de l'œil, pour voir si Elias est là. Un peu plus tôt, nous nous sommes arrêtées dans un autre magasin et nous avons acheté une pince à cheveux à trois dollars, pour ne pas avoir l'air d'être venues juste pour le voir, même si c'est le cas. Et en fauteuil roulant, je me fais remarquer ! J'ai l'impression que tous les yeux sont tournés vers moi.

— Romy, on ne va pas rester indéfiniment dans l'allée. Il faut entrer.

— Tout à coup, j'ai peur.

Elle grimace et se tord les mains.

— Ah, non ! On n'est pas venues ici pour rien. Viens-t'en, on y va !

J'avance avec le fauteuil roulant et Romy me rattrape pour me pousser. Et dire que c'est elle qui m'a entraînée ici ! Il faut faire semblant de ne pas savoir qu'Elias travaille dans ce magasin. On s'est dit qu'on allait regarder les albums et les DVD comme si de rien n'était et feindre d'être surprises quand on le verrait.

On parcourt les rangées sans repérer Elias. Il n'est nulle part. On a traversé tout le magasin. Il n'a pas l'air d'être là. Romy est vraiment dépitée.

— Peut-être que Louka s'est trompé de journée. Peut-être qu'il est malade, on ne sait pas…

Elle ne répond pas. Pour la distraire, je lui propose d'aller manger une brioche. Elle accepte, mais je vois bien que le cœur n'y est pas. Romy se traîne les pieds jusqu'à une table et je la laisse quelques minutes, le temps d'aller chercher deux brioches à la cannelle. Je ne suis pas paralysée, je peux très bien me déplacer en fauteuil roulant. C'est même un peu amusant. Je déteste que tout le monde pense que je suis incapable de faire quoi que ce soit. J'ai besoin d'un peu d'autonomie, même si j'ai une jambe cassée. Pendant que j'attends mon tour, j'essaie de trouver autre chose pour changer les idées de ma meilleure amie. Nous pourrions peut-être aller voir un film.

Lorsque je reviens à notre table, quelle n'est pas ma surprise d'y voir Romy avec… Elias! Mais par quel miracle est-il arrivé ici?

— Allô, Lili! C'est ma pause pour dîner et je suis tombé par hasard sur Romy quand je cherchais une table. Ça ne te dérange pas que je vous accompagne?

— Euh… Non, non.

Je m'assieds, soulève le plateau en équilibre sur mes cuisses et le dépose sur la table. Évidemment, Romy rayonne. On n'aurait pu imaginer mieux. Mais j'aurais presque espéré qu'on ne le rencontre pas…

Elias a beau être très gentil, il est trop vieux. Et Romy ne réussira pas à me faire changer d'avis.

Clara

8 mars

Mon livre de recettes est terminé. Youpi! Je tiens entre mes mains des mois et des mois de travail. Je n'ai pas compté combien de tasses de farine, de sucre et de beurre j'ai utilisées pour réaliser ce livre, mais ça doit se compter par dizaines!

Clémentine a dessiné une page couverture époustouflante. Chaque fois que je vois ses illustrations, je suis stupéfaite par son talent. Là, elle a représenté tout plein de desserts qui forment une sorte de pyramide. Ce sont tous des desserts dont je donne la recette dans mon livre: des cupcakes et des gâteaux, des biscuits aux brisures de chocolat noir, une tarte, une mousse au chocolat blanc... C'est une symphonie de couleurs appétissantes!

Mes parents m'ont offert de payer pour l'impression. C'est comme un cadeau de fête un peu en retard. J'aurais vidé une bonne partie de mon compte de banque si j'avais dû payer tout ça. Papa et Lili m'accompagnent au magasin pour faire imprimer une quinzaine d'exemplaires. Papa a essayé de convaincre Lili de rester à la maison, car c'est toujours un peu compliqué pour elle de circuler dans les magasins avec ses béquilles, mais elle tenait mordicus à venir avec nous. Je l'aime, ma sœur !

Depuis le début, Lili ne comprend pas pourquoi je ne vends pas mon livre. Je n'arrête pas de lui répéter que ce n'est pas un vrai de vrai livre, et que je le donnerai à des personnes que je connais. Je ne veux pas faire de l'argent !

— Mais Clara, sais-tu combien d'heures tu as passées sur ce projet ? Des centaines, peut-être ! Cet argent te récompenserait un peu pour tout ton travail.

— Non, je te l'ai déjà dit et je te le répète, c'est un cadeau que je fais, personne n'aura à payer mon livre.

Je regarde les feuilles sortir du photocopieur à une vitesse fulgurante. Dire que c'est moi qui ai écrit tout ça ! C'est sûr que je me suis beaucoup inspirée des recettes que j'ai trouvées sur Internet, mais je les ai toutes retravaillées. J'aime donner ma couleur aux petits plats que je prépare. Papa et Lili m'aident à faire des piles pour relier chaque livre avec un gros boudin. Ce n'est pas facile et nous demandons l'aide d'une employée pour éviter de gâcher nos photocopies.

Nous ressortons du magasin après une heure. Papa tient dans ses bras une grosse boîte en carton contenant tous mes livres. Enfin, ce ne sont plus seulement mes livres, maintenant, car je vais les distribuer autour de moi. Il s'agit du livre de Lili, de Romy, de Clémentine, de Charline…

Même si je suis très fière du travail que j'ai accompli, je suis un peu triste. Je ressens un grand vide à l'intérieur, alors que je devrais sauter de joie. Je n'en parle pas à Lili, j'ai l'impression qu'elle ne comprendrait pas. Même si nous nous entendons à merveille, nous ne sommes pas toujours sur la même longueur d'onde. Lili a parfois de la difficulté à se mettre dans ma peau.

De retour à la maison, j'appelle Étienne. Il trouve les mots pour me remettre d'aplomb. Selon lui, c'est l'adrénaline qui tombe. C'est normal. Ça m'apaise de l'écouter. Sa voix est si douce, et il est si gentil. Après quelques minutes, nous changeons de sujet. Nous parlons de poésie, car après tout, ce sont les mots qui nous ont réunis. Depuis une quinzaine de jours, il s'amuse à me lancer des défis d'écriture. Il me propose un sujet, puis je dois composer quelques vers ou quelques strophes. Il a vraiment beaucoup d'imagination ! La première fois, il m'a demandé de m'inspirer de la couleur jaune, et ensuite des nids-de-poule !

— Je me suis creusé le coco longtemps hier et j'ai trouvé sur quoi je veux que tu écrives aujourd'hui, déclare-t-il.

Même si je ne le vois pas, je sais qu'il sourit. Il a l'air de prendre un plaisir fou à me déstabiliser.

J'ai presque peur de connaître ce nouveau sujet... Avec lui, je peux m'attendre à n'importe quoi !

— Tu vas rire, je suis certain.

— Allez, vas-y.

— Je veux un poème sur... les orteils !

— Les orteils ! Wow ! Tu es créatif !

— Mais tu es créative aussi, Clara !

Je l'aime tellement !

Clara

9 mars

Ce matin, maman est tellement énervée qu'elle laisse tomber sa tasse de café à quelques centimètres de Violette qui se promenait par terre. Lorsqu'elle prend conscience qu'elle aurait pu la brûler, elle se met à pleurer de manière incontrôlable. Elle prend Violette dans ses bras, s'assure qu'elle n'a rien et la berce en la serrant contre elle. Ma petite sœur a sursauté au bruit de la tasse de café qui s'est fracassée sur le sol, et elle pleure en duo avec maman. Si je ne me retiens pas, je vais m'y mettre aussi.

Papa dévale les escaliers en catastrophe, la moitié du visage rasé. Il s'est arrangé pour pouvoir arriver plus tard au boulot cette semaine à cause du retour au travail de maman.

—Qu'est-ce qui se passe? Qu'est-ce qui se passe?

En voyant la mare de café sur le sol, ma mère et ma petite sœur en pleurs, il se précipite vers elles. Entre deux sanglots, maman arrive à lui dire que Violette va bien, mais elle se remet à pleurer de plus belle. Il l'entoure de ses bras et caresse doucement ses cheveux.

—Et toi, qu'est-ce qui ne va pas, petite puce? chuchote-t-il à Violette en lui souriant.

—Aeuuuhhh! répond-elle avec un trémolo dans la voix

Papa lui chatouille le menton et elle retrouve le sourire.

—Clara, prends Violette et va l'habiller, OK? Ses vêtements sont déjà sortis.

Je laisse mes rôties sur la table et je prends délicatement ma petite sœur dans mes bras. Je lui fais des grimaces pour qu'elle oublie son chagrin.

C'est vrai que ce doit être stressant pour maman. Ça fait un an qu'elle est à la maison. Même moi, je trouve que c'est un peu triste que Violette doive se faire garder à l'extérieur. Je sais que c'est grand-maman qui s'en occupera pour les prochains mois et qu'elle est merveilleuse, mais je ressens un petit pincement en pensant que ma sœur ne sera pas toujours à la maison le soir quand je reviendrai de l'école. Elle ne sera pas là non plus lors des congés pédagogiques, à moins qu'ils tombent le vendredi. Il faut croire que tout le monde va finir par s'habituer.

Je regarde dehors. Ce à quoi je ne m'habituerai jamais, c'est la neige ! L'hiver n'en finit pas. Quand j'étais petite, j'aimais bâtir des forts avec Lili ou faire des bonshommes de neige, mais j'ai vieilli... À mon plus grand bonheur, il y a eu un petit redoux pendant la semaine de relâche, mais ce matin, ça reprend de plus belle. Le ciel est tout blanc.

J'observe par la fenêtre givrée. Une épaisse couche de neige recouvre la voiture de maman. J'ai encore un peu de temps avant de prendre l'autobus, alors je vais aller déblayer sa voiture. Je suis sûre qu'elle appréciera.

Mon retour à l'école s'est bien passé. Je me sens prête à affronter les prochains mois. Je n'ai presque rien fait pendant la relâche. *Rien* n'est peut-être pas le bon mot... Je devrais plutôt dire que j'ai fait seulement des choses que j'aime ! J'ai cuisiné presque tous les jours. Lundi, j'ai préparé des biscuits aux brisures de chocolat, mardi, du pain aux bananes, jeudi, un gâteau aux carottes (la recette de Chrystelle !), vendredi, une tarte

Tatin, et dimanche, pour faire changement, un potage aux épinards. J'ai aussi beaucoup lu. J'ai eu le temps de terminer un roman super romantique de Guillaume Musso et un autre d'un auteur que j'ai découvert récemment, Simon Boulerice. J'ai vu qu'il était très prolifique, alors je vais aller emprunter d'autres de ses livres à la bibliothèque de l'école.

Ce matin, notre prof de français nous a donné le sujet de l'exposé oral que nous présenterons dans deux semaines. Nous devons faire une critique de film. Je déteste les exposés oraux. Je les ai toujours détestés. Devant la classe, je suis déstabilisée, intimidée, gênée... Je n'ai jamais eu des notes à tout casser dans ces évaluations, ce n'est pas ça qui va remonter ma moyenne. Je vais tout de même me préparer du mieux que je peux.

Je n'ai pas encore parlé à Étienne. Je me demande quel film il va choisir. Même s'il n'est pas dans le même groupe que moi, tous les élèves de deuxième secondaire ont un exposé oral à présenter sur ce sujet. Quand j'ai vu Clémentine à la récréation, elle m'a dit que c'était sûr qu'elle allait parler de *La jeune fille à la perle*. C'est un vieux film dont l'action se passe en Hollande il y a quelques siècles. On y montre la relation entre une servante et le peintre Vermeer, qui a vraiment existé. Vermeer peint la servante, et le titre du tableau est justement *La jeune fille à la perle*. J'ai déjà vu ce tableau sur Internet. Il y a quelques mois, Clémentine a essayé de le reproduire au crayon à mine. C'était très réussi. Clémentine a dû voir tous les films qui traitent de dessin, de peinture ou d'art en général. C'est son dada.

Moi, j'ai envie de parler d'*Intouchables*. C'est un film français. Il raconte l'histoire d'un homme handicapé très riche et de celui qu'il engage pour s'occuper de lui. J'aime beaucoup ce film. Il me fait sourire et la trame sonore est extra. Ma mère nous a initiées aux films français très jeunes. C'était les seuls qu'on pouvait écouter en français, avec les films québécois, car nos parents tiennent à ce qu'on écoute la version originale anglaise des films américains.

Au club vidéo, maman ne loue presque que des films français. J'aime ça aussi, mais Lili non. Les films français sont souvent plus lents que les films américains, moins flamboyants aussi, mais on trouve de bonnes comédies et de bons drames. Lili adore quand il y a de l'action, des effets spéciaux, beaucoup de morts et une tonne de ketchup! (Je me demande si c'est bien du ketchup qu'on utilise au cinéma pour faire croire qu'il y a du sang...) Quand maman loue un film, je me retrouve souvent à l'écouter toute seule avec elle. Papa et Lili regardent autre chose, sur la télévision dans la chambre de mes parents.

Pour mon exposé, je vais donc réécouter *Intouchables* et prendre des notes. Même si je ne suis pas très bonne pour parler en public, au moins, j'écris bien. C'est déjà un début!

Lili

13 mars

Mon projet de design de costumes me donne un peu le vertige. C'est rare que je dise ça, car je suis souvent en train d'organiser plein de trucs, mais cette fois-ci, j'ai l'impression que c'est plus important, plus sérieux. Ça ne fait que quelques semaines que je me suis découvert une passion pour la mode et je suis très loin d'être une pro. Je me suis peut-être engagée dans quelque chose de trop gros pour moi.

J'ai plein de bonnes idées, mais je ne suis pas particulièrement talentueuse en dessin. Je trouve que c'est difficile de représenter ce que j'imagine. Par chance, ma sœur a proposé que son amie Clémentine me donne un petit coup de main. Clémentine est très, très bonne en dessin! Elle est venue à la maison deux fois pour refaire mes croquis. Elle m'a aussi fait penser à toutes sortes de détails comme des bandeaux dans les cheveux, des collants et des leggings de couleur.

— C'est toi qui aurais dû tout dessiner, lui ai-je dit hier soir.

— Mais non ! Tu as de très bonnes idées. Il te faut un peu plus de technique, mais tu es créative, tu as de l'imagination. Ne te décourage pas !

— Lili, tu n'es pas dans ton état normal pour manquer autant d'assurance, est intervenue ma sœur.

— Ça doit être mon plâtre et l'hiver qui s'éternise. Ça mine mon moral. Ne t'inquiète pas, je suis toujours la même, lui ai-je répondu en me jetant sur elle pour la chatouiller.

Même si j'ai la jambe cassée, j'ai réussi à avoir le dessus sur Clara, et elle a dû me supplier d'arrêter. Une petite séance de chatouilles entre sœurs, c'est toujours plaisant.

Il faut que j'arrête de m'en faire. Je ne suis pas seule dans ce projet. Ma sœur, Clémentine, Romy, Louka, Lucy, et même madame Loiseau m'aident beaucoup. Ils me donnent des conseils, me disent ce qu'ils aiment ou ce qu'ils aiment moins. Romy m'a montré une vidéo sur YouTube où les danseurs portaient un peu le même genre de vêtements que ceux que j'ai imaginés. Clémentine m'a apporté une de ses jupes dont le tissu bouge super bien.

C'est un travail d'équipe. J'ai eu l'idée, c'est tout…
Je sais que je serai fière d'être allée jusqu'au bout.

L'avant-midi n'en finit plus de finir. J'ai juste hâte d'arriver à l'école de danse pour montrer mon travail et celui de Clémentine à Lucy. Je suis sûre qu'elle sera emballée.

Romy est malade ce matin. Elle a une laryngite, une pharyngite… quelque chose qui finit par « ite », en tout cas ! J'ai apporté mon sac à dos en classe et je sors seule de mon cours cinq minutes avant la cloche. Descendre les escaliers est toujours périlleux quand on est en béquilles, alors je prends bien mon temps. Tout à coup, j'entends une voix dans mon dos :

— As-tu besoin d'aide ?

Je reconnaîtrais cette voix entre mille. C'est une voix que j'ai tellement aimée ! C'était il y a longtemps. Je me retourne. Grégory est là, derrière moi. Il a les cheveux plus courts que dans mon souvenir, mais ses yeux sont toujours aussi clairs et attirants. Il porte un t-shirt fuchsia et une chemise à manches courtes carreautée par-dessus. Ça lui donne un beau style.

Je ne peux pas me sauver sauf si je décide de débouler les escaliers, et je n'ai pas envie de casser ma seule jambe valide. Surtout qu'on m'enlève mon satané plâtre bientôt!

— Non, non, je me débrouille. Je suis habituée.

Il fait comme s'il ne m'avait pas entendue.

— Attends, je vais prendre ton sac, ce sera plus facile pour toi.

Je le lui donne, un peu à regret. Nous descendons les escaliers en silence. Je n'ai pas très envie de lui parler. De toute façon, je ne saurais pas quoi lui dire. Je comprends alors que la colère que je ressentais après notre rupture a disparu au fil du temps. Dans ma tête, c'était il y a très longtemps, même si ça ne fait pas encore un an. Il ne me reste qu'une sorte de tristesse quand je pense à lui, à nous.

Grégory me suit jusqu'à mon casier. Je débarre mon cadenas et je pose mes béquilles contre le casier à côté du mien.

— C'est correct, maintenant. Tu peux me redonner mon sac.

Il me le tend, même s'il ne semble pas avoir envie de le faire.

— Je trouve que tes lunettes te vont très bien.

— Ah, merci.

Depuis que j'ai ce fichu plâtre, je les oublie, celles-là!

— Lili, je sais que je n'ai pas été honnête avec toi. J'aurais dû te dire que je voyais souvent Jessenia.

—Tu n'as pas besoin de revenir là-dessus, Grégory. C'est de l'histoire ancienne, je suis passée à autre chose.

—Je tiens à te le dire. Lorsqu'on sortait ensemble, je ne t'ai jamais trompée. Jessenia a essayé quelques fois de m'embrasser, mais je l'ai repoussée. Depuis l'été dernier, je ne lui parle plus. Son comportement au cinéma n'a pas été correct et je n'ai plus le goût de la voir. Quand nos parents organisent un souper ou une sortie, je reste de mon bord, je fais exprès pour l'éviter.

Une question me ronge... Comme c'est la première fois qu'on se parle depuis que je l'ai quitté, j'en profite.

—Et Enzo? Est-ce qu'il t'a avoué qu'il m'aimait et que, pendant tout ce temps, il espérait qu'on se laisse pour sortir avec moi?

À une ou deux reprises, je les ai aperçus ensemble de loin. Ils ont l'air d'être encore amis. Grégory sourit.

—Oui, je le sais. J'ai réglé ça assez brutalement...

—C'est-à-dire?

—On s'est battus. Au mois de juin, pendant les examens, derrière l'école. J'ai eu un œil au beurre noir la moitié de l'été, et Enzo s'est cassé un doigt.

Je grimace. Grégory est le garçon le plus doux que je connaisse (avec Louka, bien sûr!). Je n'en reviens pas. L'homme de Cro-Magnon en lui était très bien caché quand nous étions ensemble… Je n'aurais jamais cru qu'il pourrait frapper quelqu'un un jour.

— Vous vous êtes battus ! Pour vrai ?

C'est à mon tour de sourire.

— Après, on a parlé et c'est tout. Il est encore mon ami. Et il a une blonde maintenant.

Ouin, les gars ne fonctionnent vraiment pas comme les filles… Pour eux, quelques claques et ensuite, la vie reprend comme si de rien n'était. Je ne les comprendrai jamais.

La cloche sonne. Les autres élèves vont affluer bientôt vers les casiers et il sera impossible de poursuivre notre conversation sans crier. Et je n'ai pas tellement envie que les autres me voient avec mon ex.

— Lili, je voulais savoir…

Il hésite, mal à l'aise.

— … si ça te tenterait d'aller prendre un chocolat chaud avec moi, ou qu'on se retrouve au centre commercial… Juste entre amis.

Je suis très étonnée. « Juste entre amis », c'est vite dit. Je serais surprise qu'il veuille aller quelque part avec moi sans avoir une idée derrière la tête.

— Je ne crois pas que ce soit une bonne idée, Grégory.

— OK. Bye, alors.

Il s'éloigne. Je reste songeuse. Un instant, je me demande si j'ai bien fait de refuser son invitation. Il avait l'air de regretter ce qu'il a fait l'an dernier. Mais je ne peux plus avoir confiance en lui. Il m'a menti. Qui me dit qu'il ne recommencerait pas ? J'aurais toujours des doutes si je le fréquentais de nouveau. J'inspire profondément et j'expire longuement. Le « dossier Grégory » est définitivement fermé.

Clara

25 mars

— Clara, celui-là, c'est le plus beau que tu aies écrit depuis très longtemps.

Je rougis, comme d'habitude.

— Merci.

Il y a quelques jours, Étienne m'a mise au défi d'écrire un poème sur la solitude. C'est facile pour moi de parler de solitude. Je ne suis pas une fille qui aime être très entourée ou qui fraternise facilement. Dans ma vie, la solitude a souvent été une barricade pour me protéger.

Il ne reste que quelques minutes à la période du dîner. Nous sommes assis dans la place de l'Amitié avec François, Luis et Clémentine. Mes amis répètent une dernière fois leur exposé oral avant la reprise des cours. Clémentine et Luis passeront à la fin de la journée. Il y a un peu de nervosité dans l'air.

Par un drôle de hasard, Étienne et moi avons tous les deux présenté notre exposé oral hier. Je voulais passer dans les premières pour ne pas stresser trop longtemps. Je crois que je m'en suis assez bien tirée. François, qui est dans le même groupe que moi, m'a avoué qu'il avait eu un peu de difficulté à me comprendre parce que je ne parlais pas très fort, mais il m'a aussi dit que je lui avais donné envie de regarder le film que je présentais. C'est bon signe.

Comme j'avais fini mon exposé oral, j'ai profité de la soirée d'hier pour étudier en histoire. J'ai promis à maman de remonter mes notes, alors il faut que je double mes efforts.

—Ah oui, j'oubliais! Étienne, as-tu donné mon livre de recettes à ta mère?

—Oui, madame! Et elle a même essayé ta recette de cupcakes au thé vert hier soir. J'ai trouvé que le goût était un peu bizarre, mais ma mère les a beaucoup aimés. Papa aussi. Flavie n'a pas voulu y goûter, mais c'est souvent comme ça. Elle a de la difficulté avec tout ce qui est nouveau.

La cloche sonne. Déjà.

—Quand faut y aller, faut y aller, hein? clame Clémentine qui se lève en même temps que moi.

François s'étire.

—J'ai toujours mal aux fesses quand je m'assois par terre.

— C'est parce que tu n'as pas le popotin assez rembourré ! blague Luis.

Étienne et moi sourions. Ça n'arrête jamais avec ces deux-là ! Je devrais même dire « ces trois-là », car Étienne est souvent de la partie.

— À tantôt, me lance-t-il en me faisant un clin d'œil.

— Oui, à tantôt.

Je prends toutes mes choses et je me lève. Mon cours de français ne sera pas trop fatigant, je n'ai qu'à écouter les exposés oraux des autres. Je vais pouvoir penser à mon Étienne autant que je veux.

Nous ne nous sommes toujours pas embrassés. Du coup, ma sœur et Clémentine m'ont classée dans la catégorie des excentriques amoureuses. Disons que pour l'instant, Étienne est un ami très spécial…

Estelle est la première à faire son exposé oral aujourd'hui. Je me demande bien de quel film elle va parler…

— Bonjour, je vais vous présenter un film que j'aime beaucoup : *Ghost*, avec les acteurs Patrick Swayze et Demi Moore. C'est ma mère qui me l'a fait connaître…

Je pense que j'ai déjà vu ce film à la télévision. Il n'est pas récent. Ma mère aussi l'aime bien. Elle m'a dit que Patrick Swayze était l'une de ses idoles d'adolescente.

Estelle nous résume l'histoire.

— Le thème principal de ce film est l'amour. Sam est mort, mais son fantôme continue d'adorer sa femme, Molly, et elle l'aime tout autant. Sam essaie par tous les moyens d'entrer en contact avec Molly pour la protéger. Un des thèmes secondaires est la trahison. En effet, c'est Carl, le collègue et meilleur ami de Sam, qui a organisé son meurtre. Lorsque le fantôme de Sam l'apprend, il est très fâché et il fait tout pour que Carl ne tue pas sa bien-aimée. Maintenant, je vais vous parler des liens entre le film et ma vie. Il y a peu de temps, comme Sam, j'ai vécu la trahison d'une amie. C'est sûr que ce n'était pas aussi grave, loin de là, mais je me suis vraiment sentie blessée. Je peux comprendre que le personnage du film ait beaucoup de difficulté à l'accepter, car moi-même, je ne l'accepte toujours pas après plusieurs semaines…

Les mots que prononce Estelle résonnent dans ma tête. Mes oreilles bourdonnent. Je n'arrive pas à y croire. Elle est en train de parler de moi ! Elle est en train de parler de moi devant TOUTE LA CLASSE ! OK, personne d'autre ne peut deviner qu'il s'agit de moi, mais Estelle sait très bien que je vais faire le lien entre ce qu'elle dit et ma démission comme « poète » du journal étudiant. C'est un coup bas. Elle évite de me regarder, ce qui confirme mon impression.

Lorsqu'elle retourne à sa place après avoir terminé son exposé, je ne la quitte pas des yeux. J'espère qu'elle va se tourner vers moi pour que je lui fasse comprendre que j'ai saisi son message et que je ne suis pas contente. Mais encore une fois, elle m'ignore complètement. Pendant toute la période, je rumine dans mon coin. Que vais-je bien pouvoir lui dire? Je ne pensais jamais qu'Estelle percevrait mon geste comme une trahison. Je trouve qu'elle y va un peu fort!

À la fin du cours, je me dépêche pour ramasser mes livres et aller la trouver. Je dois courir derrière elle dans le corridor, car elle est sortie de la classe à toute vitesse. Je me demande bien pourquoi...

—Estelle! Estelle! Attends-moi, il faut que je te parle.

—Laisse-moi, je n'ai rien à te dire.

Elle continue de marcher en regardant droit devant elle. Elle lève même le nez!

—Tu as voulu parler de moi dans ta présentation, alors je veux des explications. Tu me dois bien ça.

Cette fois-ci, elle se retourne, l'air condescendant.

—Tu crois que je te dois quelque chose? C'est toi qui as laissé tomber le journal. Tous les autres étaient fâchés contre moi parce qu'il fallait trouver une autre personne pour te remplacer à la dernière minute. Tu es partie et tu m'as mise dans le trouble. Est-ce que je devrais te remercier pour ça?

J'en suis bouche bée. Elle s'éloigne et je reste figée sur place. Des larmes de rage picotent mes yeux et je fais de gros efforts pour les retenir. Les élèves passent de chaque côté de moi, me bousculent, grognent parce que je leur bloque le passage.

François s'arrête près de moi.

—Et puis, tu m'as trouvé comment?

Il me faut quelques secondes pour reprendre mes esprits. Je fixe François en répétant mentalement la question qu'il vient de me poser. Zut! François aussi a fait son oral et je n'y ai presque pas porté attention.

—Euh… Tu étais très bon. Tu parlais un peu vite, mais sinon, c'était super.

J'improvise. François a souvent un débit aussi rapide que Louis-José Houde, alors je suppose que c'est ce qui est arrivé tantôt.

—Ah oui, tu trouves? Ce n'est pas ma faute, les mots se bousculent dans ma bouche!

Nous prenons le chemin des casiers. Il ne reste plus beaucoup d'élèves dans le corridor, ils sont presque tous déjà descendus.

—Est-ce que ça va, Clara? Quelque chose te préoccupe? Cette fois-ci, je n'ai rien dit pour te faire fâcher, hein?

—Non, non, ne t'inquiète pas. Je suis juste un peu fatiguée.

J'accélère le pas. Je n'ai pas envie de discuter avec François. Je suis trop bouleversée.

Je suis à la maison des jeunes. Ce soir, un policier vient donner une conférence et ma sœur voulait l'écouter. C'est l'occasion pour moi de retrouver Clémentine pour lui parler. Le policier s'adressera à nous dans une trentaine de minutes. Je ne me suis toujours pas remise de ce que m'a dit Estelle. J'ai eu beaucoup de difficulté à souper et je n'ai même pas pris de dessert, ce qui n'est pas dans mes habitudes.

L'année dernière, nous avons tout fait pour aider Estelle. Nous l'avons accompagnée dans la séparation et le divorce de ses parents. Nous l'avons écoutée, nous l'avons acceptée comme elle était, même si ça n'a pas toujours été facile. Je ne comprends pas pourquoi elle est aussi fâchée. Je sais qu'elle est perfectionniste et un peu contrôlante, mais ce n'est pas une raison pour déformer les choses.

—Clara, on en a parlé plein de fois. Tu n'as rien à te reprocher. C'est Estelle qui a un problème, pas toi.

— Mais je n'aime pas qu'elle parle de moi comme ça. Qui dit qu'elle ne dévoilera pas l'identité de Noisettine ? Tout le collège Honoré-de-Balzac saurait que c'est moi !

— N'exagère pas. Je crois que tu t'en fais pour rien. La preuve, elle n'a pas dit ton nom dans son exposé. Si j'ai bien compris, elle n'a pas donné d'indices pour que les autres puissent te reconnaître. Même François n'a pas eu l'air de faire le lien avec toi et il sait que tu écrivais dans le journal.

— Je n'aime pas être fâchée. J'ai de la peine. Je voudrais comprendre.

— Il n'y a rien à comprendre. Oublie-la. Concentre-toi sur les personnes que tu aimes, me dit-elle en me faisant un gros câlin. Et tiens, justement, voilà ta sœur ! Elle se déplace beaucoup mieux sans son plâtre, hein ?

Lili semble préoccupée. Je me demande ce qui se passe avec elle…

Lili

25 mars

Je marche! Je marche! Enfin, avant je marchais aussi, mais avec mon foutu plâtre, ma démarche était loin d'être gracieuse! J'étais mal à l'aise, ça me piquait souvent et c'était l'enfer de me laver. Mais tout ce calvaire est derrière moi maintenant. J'ai l'impression de revivre. Même si tous mes amis y avaient laissé des petits messages ou des dessins, même s'il était rose vif, je le détestais profondément.

Me déplacer d'un bout à l'autre de la maison des jeunes ne me prend plus que quelques secondes, alors qu'avant, pour parcourir cette distance, il me fallait le triple du temps! Ma «nouvelle» jambe m'élance encore un peu, mais la technicienne de l'hôpital m'a dit que c'était normal.

Je suis tellement contente de remettre mes jeans *skinny*. Yé! Ce soir, je porte ma paire préférée et mon beau chandail cache-cœur. J'ai l'impression de retrouver mes vieux amis. C'est fou comme on peut s'attacher à des vêtements !

Je vais rejoindre ma sœur qui jase avec Clémentine. Il faut vraiment que je lui parle.

— Est-ce que je vous dérange, les filles ?

— Non, non, me répond Clémentine en souriant. Qu'est-ce qui se passe ?

— J'ai besoin d'aide. Je ne sais plus quoi dire à Romy.

Je me tourne vers ma sœur.

— Je t'ai dit que Romy avait l'œil sur Elias, le frère de Louka... Eh bien, elle ne me parle que de lui. Il est censé venir reconduire Louka dans quelques minutes et elle est allée les attendre dehors pour pouvoir parler à SON Elias.

— Il me semble que Romy s'accroche toujours aux mauvais garçons, non ? fait remarquer Clara. L'an dernier, c'était Enzo, le meilleur ami de ton chum. À moins qu'elle tombe amoureuse de tous les garçons dont le prénom commence par E... Il va falloir garder un œil sur Étienne !

— Ha, ha. Très drôle, dis-je sans entrain. Ce n'est pas une blague, il faut que je lui fasse entendre raison. Elias est trop vieux. Il est majeur, il va au cégep. Ce n'est pas un garçon pour elle.

— Et lui, est-ce qu'il a l'air intéressé ? demande Clémentine.

Bonne question… Je ne me l'étais jamais posée.

—Elias est gentil avec tout le monde, je n'ai pas remarqué qu'il essayait de se rapprocher de Romy… Je crois que Louka te dirait la même chose. Il est tout aussi découragé que moi.

Nous nous interrompons, car justement Romy entre dans la maison des jeunes. Oh, oh… Elle est en pleurs. Elle se dirige vers les toilettes sans même prendre la peine d'enlever son manteau. Mais que se passe-t-il? Je me lève pour aller la retrouver, mais je m'arrête en voyant Louka passer la porte quelques secondes plus tard. Il va sûrement pouvoir me donner quelques explications. J'agite la main pour qu'il nous voie. Louka vient vers nous d'un pas pesant et s'affale sur une chaise en soupirant. Nous sommes toutes pendues à ses lèvres. Je suis trop impatiente.

—Qu'est-il arrivé? Ton frère lui a dit qu'il n'était pas intéressé?

—Pire que ça. Il est venu me reconduire avec sa blonde.

J'écarquille les yeux.

—Elias a une blonde? Je ne savais pas.

—Moi non plus, me répond Louka en soupirant. C'est tout nouveau. C'est une fille du cégep qui s'appelle Charlotte. Une très belle fille, en plus. Et elle a son âge.

—Romy l'a vue…

—Oui. Elias la lui a même présentée.

—Oups! Je comprends mieux pourquoi elle pleure. Je vais aller la rejoindre…

Romy s'est enfermée dans un cabinet et je l'entends sangloter. Une autre fille, qui semble un peu mal à l'aise, se lave les mains. J'attends qu'elle parte pour pouvoir rester seule avec mon amie. Il n'y a personne d'autre. Je frappe doucement à la porte de la cabine de Romy.

—C'est moi. La conférence va commencer bientôt… Allez, ouvre.

Romy ne répond pas.

—Je sais pour Elias, Louka m'a dit.

Elle ouvre finalement la porte, le nez en chou-fleur et les yeux rougis par les larmes. Je n'aime pas la voir aussi malheureuse. Je mets mon bras autour de ses épaules et je l'étreins longuement. Je sens son corps trembler tout contre moi. Pauvre Romy, elle est loin d'être chanceuse en amour.

—Je croyais qu'il me trouvait de son goût. Quand il me parlait, j'avais l'impression d'être spéciale. Il était si gentil…

—Il l'est avec tout le monde, Romy. Il a cinq ans de plus que nous. Pour lui, on est…

—Allez, dis-le. On est des bébés, c'est ça?

—Mais non, ce n'est pas ce que je voulais dire. Mais on est plus près de l'école primaire que du cégep, non?

—Je pensais qu'il avait compris que je l'aimais...

Elle recommence à pleurer de plus belle.

—Il était peut-être trop gêné pour avouer qu'il n'était pas intéressé. Il ne voulait sûrement pas te blesser.

Nous restons silencieuses quelques instants. Romy se mouche. Elle se regarde dans le miroir, découragée. Elle prend un peu d'eau avec ses mains et tapote son visage pour se rafraîchir.

—Lili, je n'ai plus envie d'écouter le policier. Est-ce qu'on peut s'en aller?

J'hésite un peu. Mais Romy a raison. Elle n'est pas vraiment en état.

—Pas de problème, je comprends très bien. Veux-tu qu'on aille chez toi?

—OK. Je vais aller dans le bureau de Charline pour appeler ma mère. Je préfère que les autres ne me voient pas comme ça.

—Je vais aller avertir ma sœur et je te rejoins.

Je lui souris pour essayer de lui remonter un peu le moral. À la voir, je sens que ce sera un peu difficile...

Lili

29 mars

Ô toi, grande designer de mode, comment vas-tu aujourd'hui ?

Je suis super content de savoir que tu as remonté la pente. Enfin, je retrouve la vraie Lili ! Tu renais en même temps que le printemps… s'il peut finir par arriver pour vrai ! Avez-vous encore de la neige chez vous ? Ici, ça ne finit plus de fondre. J'ai hâte de sortir mon vélo, mon longboard, mes patins. Le longboard, je l'ai reçu pour mon anniversaire. Comme ma fête est en janvier, c'est difficile de l'essayer à ce moment-là, hein ? J'ai roulé un peu dans le sous-sol chez moi, jusqu'à ce que mes frères fassent une crise de jalousie. Alors je l'ai rangé et j'attends de pouvoir en faire dehors dans la rue.

J'ai regardé les dessins que tu m'as envoyés et je les trouve super beaux. Tu feras un malheur, j'en suis sûr! J'aimerais bien venir voir le spectacle, mais je ne suis pas certain que mes parents vont accepter.

En parlant de mes parents, j'ai oublié de te dire que mon père a postulé pour un emploi à la Ville de Montréal. Plusieurs membres de ma famille vivent encore là et mes parents ont souvent parlé d'y retourner. Ils habitaient à Montréal avant ma naissance, quand ils étaient encore de jeunes mariés! Il y a donc des chances pour qu'on déménage. C'est sûr que ce serait un gros changement pour mes frères et moi, mais je pense que j'aimerais vivre dans une grande ville. Ça peut prendre plusieurs semaines ou plusieurs mois avant de savoir si ça va se faire, il faut être patient.

Je t'envoie plein de soleil, miss!
Fred

Frédéric à Montréal, ce serait trop cool! Montréal, c'est juste de l'autre côté du pont. En voiture, il faut seulement trente minutes pour s'y rendre... quand il n'y a pas trop de circulation! Ce serait chouette qu'on puisse se voir à l'occasion. On a beau s'écrire souvent, on ne s'est vus qu'une seule fois en personne. Bon, bon, bon, ce n'est pas tout à fait vrai. C'était l'hiver dernier, pendant la relâche scolaire. J'étais allée garder mon cousin. On se retrouvait presque tous les jours...

Changeons de sujet! Les costumes du spectacle de danse ont été approuvés par madame Loiseau et les autres profs. Je leur avais soumis trois propositions pour chaque chorégraphie et elles ont choisi parmi celles-ci. Dès que cela a été fait, Lucy et ses amies «fermières» ont conçu les patrons à partir de mes dessins. C'est stupéfiant de voir qu'elles sont capables de regarder une image en deux dimensions et de créer un vêtement! Lorsque Lucy est arrivée avec un prototype de chacun des costumes, j'ai pleuré tellement j'étais émue. Clara doit déteindre sur moi pour que j'aie le cœur aussi sensible.

—C'est magnifique! ai-je dit à Lucy en lui sautant dans les bras.

—Je n'ai aucun mérite, jeune fille, c'est la créatrice qui est talentueuse. Et ne te fie pas au tissu que nous avons utilisé, j'ai pris de vieilles retailles qui traînaient. Pour les vrais costumes, les couleurs seront plus belles et les textures beaucoup plus intéressantes.

Même si ça avance relativement vite, on est très loin d'avoir nos costumes! Du coup, nous sommes plusieurs filles à rester le soir, après la danse, pour découper le tissu avec les patrons. Lucy nous a expliqué comment faire, et même si nous avons eu besoin d'une heure ou deux pour comprendre, nous savons maintenant de quelle manière nous y prendre. Elle n'a même plus besoin d'être à côté pour nous superviser. Personne ne sait comment fonctionne une machine à coudre, à part Josiane, mais les ciseaux, on en utilise depuis la maternelle!

Tout en travaillant, nous pouvons jaser entre nous. Ce n'est pas comme dans les cours de danse où il est difficile de parler et de danser en même temps.

Ce soir, nous sommes trois: Romy, Andréa et moi. Nous avons branché un iPod dans la chaîne stéréo et nous écoutons de la musique tout en maniant le ciseau.

Romy ne s'est toujours pas remise de la «trahison» d'Elias. Louka et moi avons tenté de la raisonner et de lui dire de passer à autre chose, mais elle n'arrive pas à décrocher.

—Peut-être qu'ils ont rompu? Les deux premières semaines sont décisives dans une relation de couple. J'ai lu un article là-dessus dans une revue en fin de semaine…

—Louka nous l'aurait dit, tu sais bien…

—Pas sûre. Elias ne lui avait même pas avoué qu'il avait une blonde avant que Louka la rencontre la première fois.

Je lève les yeux de mon morceau de tissu et j'agite mes ciseaux en l'air pour l'interpeller.

—Romy! Est-ce qu'on peut changer de sujet? On a fait le tour, je pense. Je sais que ça te fait de la peine et c'est plate pour toi, mais je ne sais plus quoi te dire…

—D'accord, d'accord.

Je me sens méchante de couper court à la discussion de cette façon. Je commence à manquer de patience lorsqu'on parle d'Elias… parce qu'on parle TOUJOURS d'Elias depuis quelque temps.

Je suis un peu fatiguée de ma journée aussi. En danse, je dois mettre les bouchées doubles depuis qu'on m'a enlevé mon plâtre. Je suis rouillée et j'ai moins d'endurance. Maman m'a dit que mon muscle s'est sûrement un peu atrophié, vu sa longue immobilité. Et comme je ne connais pas bien les chorégraphies que les autres répètent depuis des semaines, ça n'aide pas non plus. Parfois, j'ai l'impression que je ne rattraperai jamais mon retard. Il m'arrive de pleurer en silence le soir dans mon lit tellement je suis découragée. J'aime la danse, mais on dirait que ces temps-ci, c'est la danse qui ne m'aime pas. Au moins, madame Loiseau a été accommodante.

Pour le spectacle, elle m'a proposé de faire seulement la moitié des numéros.

Nous continuons de travailler quelques minutes en silence. En fait, il y a quand même de la musique. Une chanson de Marie-Mai se termine, une autre de Bruno Mars commence... Ah, Bruno Mars ! Un jour, j'aimerais aller le voir en spectacle. Et la chanteuse Adele aussi. Mais les billets doivent coûter les yeux de la tête ! Ce n'est pas en gardant une fois de temps en temps que je vais pouvoir m'en payer un. Je fredonne les paroles de la chanson. J'en connais plusieurs de Bruno Mars par cœur.

Andréa brise le silence.

— Et Louka, tu ne le trouves pas de ton goût ? Il doit bien ressembler un peu à son frère. Et il a notre âge, non ?

Romy et moi ne parlons pas, mais je sais que nous pensons la même chose. Pour nous, Louka est un ami et nous ne le voyons pas autrement. C'est sûr qu'il reste un gars... Nous le côtoyons chaque jour, nous nous entendons à merveille avec lui, il est charmant, intelligent, dévoué... Oui, pourquoi aucune de nous n'est jamais tombée amoureuse de lui ? Peut-on d'abord être des amis et devenir des amoureux par la suite ?

Clara

30 mars

Mon mois « d'essai » concernant mes notes à l'école est terminé. Cette semaine, j'ai demandé à tous mes profs d'écrire un petit mot dans mon agenda à l'intention de mes parents, pour leur expliquer comment se portent mes résultats scolaires. Comme je le pensais, c'est beaucoup mieux. Je n'ai pas des résultats à tout casser, mais il y a une amélioration. Et mes profs avaient même de bons commentaires sur mon comportement : « Impliquée dans la tâche », « Travaille sérieusement », « Travaux remis à temps ». Maman est rassurée. Papa aussi, mais lui, je ne pense pas que ça l'inquiétait vraiment. Il savait que la situation était temporaire, il ne me mettait pas de pression sur les épaules. Maintenant, il faut que je maintienne mes efforts jusqu'à la fin de l'année.

Chrystelle m'a demandé de l'aider à préparer des cupcakes décorés de poissons en fondant pour le 1er avril. J'ai trouvé son idée très originale. Étienne lui avait montré des photos de quelques gâteaux recouverts de fondant que j'ai cuisinés par le passé. Elle s'est aussitôt exclamée que j'avais beaucoup de talent. Ça m'a fait rougir lorsque Étienne me l'a dit.

Aujourd'hui, il fait un soleil magnifique. Je mets ma jupe de jeans et un t-shirt cintré noir où apparaît une grande plume blanche. Il est super confortable, et j'ai toujours trouvé qu'il m'allait bien. Lili pense sûrement la même chose parce qu'elle ne se gêne pas pour me l'emprunter de temps en temps, avec mon accord... ou pas! Bref, je me suis rendu compte que je le mets souvent quand je me sens bien. Comme aujourd'hui.

Lorsque nous arrivons en voiture, Étienne m'attend dehors. Papa baisse la fenêtre.

—Bonjour, jeune homme! lance-t-il d'un ton jovial.

—Bonjour, monsieur Perrier.

—Vincent. Appelle-moi Vincent. Je te l'ai déjà demandé, je pense, non?

Étienne hésite un peu.

— Euh oui, sûrement. Mais c'est un réflexe, je dis *vous* à tous ceux qui sont plus âgés que moi.

— Es-tu en train de dire que je suis vieux ?

— Euh... non... Ce n'est pas ce que je voulais dire.

Je sors de la voiture et j'interviens, parce que sinon, je sens que mon père va s'amuser longtemps.

— Papa, arrête de l'agacer ! Il faut qu'on y aille, là !

— C'est beau, j'ai compris. Je m'en vais. Je reviens te chercher vers quatre heures trente, OK ?

Je glisse la tête par la fenêtre de la voiture et je lui donne une bise rapide sur la joue. Papa tend le cou pour parler à Étienne une dernière fois.

— Tu es jaloux, hein ? dit-il en riant. Allez, bon après-midi !

Nous regardons la voiture de mon père s'éloigner.

— Excuse-le, il est comme ça parfois. J'espère qu'il ne t'a pas mis mal à l'aise.

— Disons qu'il est spécial. Mon père est du même genre. Tu te souviens de la première fois qu'il t'a vue ?

Si je m'en souviens ? Trop bien, oui ! J'avais déjà vu Chrystelle et Flavie deux fois avant de rencontrer Simon, car il travaille presque toujours. Je venais tout juste d'entrer dans la maison quand il

151

est passé devant Étienne et moi vêtu d'un pyjama rose, absolument pas mal à l'aise. Moi, je l'étais, par contre !

— Ah ! Bonjour, Clara ! Enchanté de te rencontrer ! m'a-t-il dit en me tendant la main.

— Euh… Moi aussi.

— Papa, c'est le pyjama de maman ! est intervenu Étienne, les yeux exorbités.

— Oui, oui, je sais. Le mien est au lavage. Mais je m'améliore ! Quand tu as amené ta dernière blonde à la maison, je portais le tien, tu ne t'en rappelles pas ? Il était un peu trop petit…

J'ai ouvert la bouche, ahurie. Étienne a soupiré bruyamment. Quant à Simon, il s'est tourné vers moi, un sourire en coin. Je voyais bien qu'il se retenait pour ne pas rire. Il est monté à l'étage et je suis restée seule avec Étienne qui avait la tête entre les mains.

— Il fait toujours ce genre de coup à mes amis. Ne t'inquiète pas, il doit avoir respiré trop de produits toxiques au labo où il travaille. Et je n'ai jamais amené aucune fille ici à part toi. Il raconte n'importe quoi.

Je repousse ce souvenir dans un coin de ma tête et nous entrons dans la maison d'Étienne. Je suis presque contente que son père travaille aujourd'hui.

Dès que je passe la porte, j'entends Chrystelle chanter. Comme elle a une belle voix ! On s'assoit dans les escaliers pour l'écouter sans qu'elle nous voie. Étienne prend ma main. Je suis tout émue.

Mes jours vont à la dérive
Ma tête est une épave abandonnée
Mon cœur mille fois a sombré
Pourquoi m'as-tu laissée tomber?

Ohé, capitaine, m'entends-tu?
Je te cherche dans tous les ports
Ohé, capitaine, fais de moi ton élue...
Entre tes mains je remets mon sort.

Je me penche à l'oreille d'Étienne.

— Elle chante souvent comme ça?

— Parfois. Ça lui arrive de plus en plus souvent depuis quelque temps. Flavie lui demande de chanter. Et quand elle ne veut pas, ma sœur va dans sa chambre et écoute l'un de ses albums. Elle ne se tanne pas!

Je m'étire pour regarder dans la cuisine, mais d'où nous sommes, je ne vois qu'un coin de la table.

— Flavie est avec elle?

— Oui, je pense qu'elle est assise au comptoir. On y va?

Je hoche la tête. On ne peut pas rester indéfiniment dans les escaliers. Je lâche sa main à regret.

Et si Chrystelle décidait de reprendre tous ses *hits*, on en aurait pour l'après-midi !

—Maman, Clara est arrivée !

Chrystelle se retourne, une casserole et un linge à vaisselle à la main. On est loin de l'époque où elle chantait sur scène devant des milliers de personnes !

—Allô, Clara ! Tu es tout en beauté aujourd'hui.

—Merci, dis-je d'une petite voix gênée.

Elle est toujours si gentille. Chaque fois que je viens ici, Chrystelle me fait des compliments, elle a de douces attentions pour moi. Je sais maintenant de qui Étienne tient son caractère.

Flavie fait un casse-tête au comptoir. Il doit bien y avoir cinq cents morceaux ! Je ne suis même pas capable de faire ça.

—Wow ! Tu es super bonne ! C'est difficile de faire un casse-tête avec autant de morceaux. Qu'est-ce qu'il représente ?

—C'est Jeanne d'Arc pendant le siège d'Orléans.

J'ai déjà vaguement entendu parler de Jeanne d'Arc, mais jamais du siège d'Orléans. Ça ne se passe sûrement pas sur l'île en face de Québec, en tout cas ! Connaissant Flavie, cet événement s'est déroulé au Moyen Âge.

Chrystelle s'avance vers moi.

—J'ai regardé ton livre de recettes et j'ai eu envie de préparer ces trois saveurs-là, me dit-elle en tournant les pages : caramel salé, chocolat-cannelle et cardamome.

De très bons choix ! Nous nous entendons pour que Chrystelle fasse les cupcakes pendant qu'Étienne et moi façonnerons les poissons en fondant. C'est long à faire, surtout que je veux qu'ils soient beaux ! Étienne n'est pas un spécialiste du fondant, mais je vais lui expliquer. Et au pire, il n'aura qu'à recommencer ceux qu'il rate, c'est tout !

Nous travaillons en bavardant et en blaguant. Lorsque je parle de ma sœur qui a dessiné les robes de son spectacle de danse, Chrystelle me confie des détails croustillants sur ses anciens costumes de scène. J'apprends qu'elle a déjà donné un spectacle sans soutien-gorge et sans culotte parce qu'un technicien qu'elle connaissait bien les avait cachés pendant qu'elle était sous la douche, pour lui jouer un tour. Elle me confie aussi qu'il lui est arrivé de faire tenir une robe avec des épingles à linge parce que la fermeture éclair avait cédé et que personne ne trouvait du fil et une aiguille. Ses histoires sont tordantes !

Tout à coup, le détecteur de fumée se met à hurler. Il y a effectivement un peu de fumée qui sort du four, mais rien d'inquiétant. Flavie se jette sur le sol en criant et en agitant les bras et les jambes. Elle hurle plus fort que le détecteur de fumée. Elle fait tomber une chaise qui manque de s'écraser sur elle.

Chrystelle s'empresse de sortir les moules à cupcakes du four. L'un d'eux a débordé et la pâte a coulé tout près de l'élément chauffant. Puis, elle se précipite vers Flavie pendant qu'Étienne agite un linge à vaisselle sous l'avertisseur de fumée. Il me fait signe d'ouvrir la porte-fenêtre pour créer un courant d'air. J'obéis, mais ne peux m'empêcher de regarder Flavie qui se débat toujours sur le plancher.

Finalement, le détecteur de fumée se tait. Mais pas Flavie. Elle est en crise, et pas qu'un peu. Chrystelle essaie de la contenir, elle lui parle doucement à l'oreille, mais rien n'y fait. Flavie continue de s'énerver comme si elle était attaquée par un dragon imaginaire. Je ne sais pas ce que je pourrais faire pour l'aider. Je me sens inutile.

Étienne me touche le bras. Je sursaute un peu.

— Viens, on va aller dans ma chambre.

Je le suis, complètement déstabilisée. Dans les escaliers et même dans le couloir du premier étage, on entend toujours les cris désespérés de Flavie. Ce n'est que lorsque Étienne ferme la porte que le bruit cesse. Il m'invite à m'asseoir dans le grand fauteuil près de la fenêtre. Je regarde le chêne dehors et je respire profondément pour maîtriser mes émotions.

— Est-ce que ça lui arrive souvent ?

— Moins souvent qu'avant. Flavie ne supporte pas les gros bruits. Elle se bouche même les oreilles quand elle tire la chasse d'eau. Maman ne peut passer l'aspirateur quand elle est à côté, et Flavie ne sort jamais de la maison quand on tond la pelouse. Si un camion de pompier ou encore une ambulance passe dans la rue, c'est la même chose. Elle peut mettre ses coquilles insonorisantes, qui ressemblent à de gros écouteurs, mais il est impossible de toujours prévoir quand il y aura un bruit fort.

Je reste bouche bée.

— C'est le détecteur de fumée qui provoque le plus de réactions chez ma sœur. T'inquiète pas, dans quelques minutes, ma mère aura réussi à la calmer.

Étienne met la main sur mon épaule. Je sens la chaleur de sa paume à travers mon chandail. Il me regarde et me sourit. Sa gentillesse me touche. Mais il y a plus que ça encore. Étienne est maintenant tout près de moi, à genoux devant le fauteuil. Une boule de feu envahit ma poitrine. Tout à coup, j'ai chaud, vraiment chaud. Mes oreilles bourdonnent et mes mains tremblent un peu. Je sens mon cœur battre dans mes tempes.

Étienne a l'air aussi fébrile que moi. Son visage s'approche du mien. Je sens son souffle sur ma

157

peau. On dirait que l'instant s'étire, s'arrête même, comme si le temps avait ralenti sa course. Lorsque nous nous embrassons, je me dis que personne ne peut se sentir aussi bien que moi en ce moment. La saveur de ce baiser me rappelle les tranches de melon d'eau que l'on déguste lors des journées chaudes d'été. C'est doux, sucré et mouillé. Pourquoi avons-nous attendu si longtemps avant de goûter ce fruit exquis ?

.

Lili

9 avril

Ni Romy ni moi n'avons reparlé de la remarque qu'a faite Andréa il y a quelque temps à propos de Louka. Elle n'est pas la première à émettre ce genre de commentaire. Comme si, dès qu'un garçon et une fille s'entendent bien, il fallait que cela cache une histoire d'amour. Pourquoi la plupart des gens ne croient pas qu'un gars et une fille puissent être amis ?

Depuis plusieurs jours, lorsque je suis avec Louka, j'essaie de faire parler mon cœur. Je cherche à savoir si j'éprouve de l'amour ou du désir pour lui. Ai-je envie que notre relation soit différente ? J'ai beau retourner la question de tous les côtés, j'arrive toujours à la même conclusion : je n'aime pas Louka. En fait, je l'aime de tout mon cœur, mais comme ami seulement. C'est drôle, j'ai parfois l'impression qu'il est un peu comme mon frère. Les autres peuvent bien penser ce qu'ils veulent, ce n'est pas mon problème.

Romy a encore le cœur brisé par Elias. Sa peine d'amour s'étire et s'étire… Elle revient comme une vague au moindre prétexte. L'autre soir, elle a appelé Louka pour lui poser une question sur un devoir, et c'est Elias qui lui a répondu. Pendant trois jours, elle m'a dit qu'il y avait encore de l'espoir parce qu'il avait été super gentil avec elle au téléphone.

— Il m'a même demandé comment ça allait à l'école !

— Ça ne veut rien dire, Romy. Moi, quand je lui ai parlé, il m'a demandé des nouvelles de ma jambe. Je te l'ai déjà dit, il est gentil avec tout le monde !

Elle ne veut rien entendre.

Ce soir, je suis restée à l'école de danse pour travailler sur les costumes. Lucy était présente aussi, et puisque mes parents avaient un empêche-ment, elle a offert de me reconduire à la maison. Papa fait des heures supplémentaires et maman est allée chez le médecin avec Violette. Elle a sûrement une otite. Je crois que c'est la quatrième depuis qu'elle est née !

Lucy conduit une toute petite voiture anglaise. Je la trouve super cool ! Elle est jaune. Plus tard, j'en veux une pareille. Pendant le trajet, je lui parle de Romy. Il y a longtemps que nous n'avons pas eu le temps de jaser en tête à tête. En fait, depuis qu'on m'a enlevé mon plâtre, je vais à tous les cours de danse, et du coup, je ne la vois presque plus. C'est à peine si on se croise parfois dans les corridors. Même le soir, nous ne sommes jamais seules. Alors là, j'en profite.

— Lucy, tu dois avoir de l'expérience en amour, non ?

— Si tu savais ! J'en ai vu de toutes les couleurs !

— Il faut que tu m'aides avec Romy. Louka et moi avons tout essayé pour la raisonner...

— Ah oui, Romy... Je me souviens. Elle est amoureuse du grand frère de Louka, c'est ça ?

— Oui, mais il est trop vieux. Et il a une blonde.

Lucy passe la main dans ses cheveux qu'elle a courts et argentés. Je remarque les deux anneaux d'or qui pendent à ses oreilles. Elle a beau être âgée, elle est encore très jolie. Plus jeune, elle a dû en briser, des cœurs. Il faudrait que je lui demande une photo d'elle à vingt ans. J'aimerais bien voir de quoi elle avait l'air...

Nous sommes à un feu rouge. Lucy se tourne vers moi en croisant les bras.

— Sais-tu quel est le meilleur moyen de guérir une peine d'amour ?

—Non.

—Tomber amoureux de quelqu'un d'autre.

—Ce n'est pas fou, mais c'est plus facile à dire qu'à faire...

—Peut-être pas, murmure-t-elle d'un ton étrange.

Je me demande ce qu'elle a derrière la tête.

—En danse-études, il n'y a pas beaucoup de garçons. Et Romy n'est pas amoureuse de Louka.

—Mon petit-fils fait aussi partie du groupe, tu as oublié?

Jérôme? Jérôme est le fils de madame Loiseau, donc le petit-fils de Lucy. Il est dans le groupe A avec moi, mais nous n'avons jamais eu de vraies conversations, à part pour discuter des cours de danse. C'est un solitaire. Je crois que les élèves ont du mal à être ami avec le fils de la directrice... Le matin et le midi, à la polyvalente, il se tient avec une gang de gars que je ne connais pas, mais qui ont tous l'air de vrais rats de bibliothèque. C'est drôle, car Jérôme n'est pas du tout du genre à être premier de classe. Je n'ai pas l'impression qu'il a déjà eu une blonde. C'est un beau garçon pourtant.

Nous arrivons dans ma rue. Je montre du doigt ma maison à Lucy.

—Tu penses vraiment que Jérôme pourrait être intéressé par Romy? Et vice versa?

—On pourrait leur donner un petit coup de main...

J'aime tellement Lucy! Elle a le même genre d'idées que moi. Elle stationne sa voiture devant chez moi et elle me confie son plan.

Ce soir, je raconte tout à Clara. Je me suis fait une petite feuille aide-mémoire pour me souvenir de chaque étape. Comme ça, je pourrai suivre l'évolution de notre projet.

1. Jérôme et Romy font une activité ensemble. Activité à déterminer.
2. Je dis à Romy que Jérôme a parlé d'elle, qu'il l'a regardée, etc. Le tout doit se faire très subtilement.
3. Lucy utilise la même tactique qu'au point 2 avec Jérôme : elle rapporte que Romy a parlé de lui.
4. Puis, Lucy et moi nous arrangeons pour que Jérôme et Romy se rencontrent «par hasard» dans un endroit public. Maison des jeunes? Centre commercial? Casse-croûte? Parc? À voir.

—Tu es sûre que ça va fonctionner? me demande Clara.

—Non, je ne suis sûre de rien. Mais on ne perd rien à essayer!

Clara ouvre la porte de notre chambre pour s'assurer que maman n'est pas dans les parages. Elle la referme sans faire de bruit et ouvre le tiroir de son bureau, appelé aussi la « cachette à gourmandises ». Je ne comprends pas comment il se fait que mes parents ne l'ont jamais découverte. Ce soir, ma sœur sort un contenant de... sucre à la crème !

— Wahou ! Où as-tu trouvé ça ? C'est toi qui l'as fait ?

— Non, c'est Chrystelle. Étienne me l'a donné à l'école aujourd'hui. Regarde...

Elle ouvre le plat et en sort un morceau en forme de cœur !

— C'est trop trognon !

— Quoi ?

Clara pouffe de rire. Elle est belle à voir. Elle est à mille lieues du vilain petit canard qu'elle était quand elle est entrée au secondaire. Clara restera toujours Clara, mais elle a beaucoup changé. Et son histoire d'amour avec Étienne est digne d'un film de Hollywood. Dans quelque temps, j'espère pouvoir dire la même chose pour ma belle Romy.

Lili

11 avril

J'ai raconté un petit mensonge à Romy dans le cours d'univers social. Le prof nous a dit de nous asseoir en équipe de deux pour faire un travail. Du coup, j'ai dit à Romy que Mathilde avait insisté pour travailler avec moi. Et Louka, que j'ai mis dans la confidence, était déjà assis avec quelqu'un d'autre.

—Jérôme a l'air d'être tout seul, voudrais-tu faire équipe avec lui ?

Jérôme est souvent seul, même quand les enseignants nous demandent de travailler deux par deux. Romy ne réagit pas. J'insiste :

—Vous pourriez vous asseoir juste en arrière de nous. Comme ça, on jasera un peu.

Romy hésite. La perspective de travailler avec Jérôme la déstabilise, je le vois bien. Un moment, je regrette ce que je viens de lui dire. Je n'ai pas d'affaire à manigancer dans le dos de mon amie. Mais lorsque je la vois marcher vers Jérôme, une petite lueur d'espoir s'allume en moi.

Jérôme paraît surpris de l'offre de Romy.

—Euh… C'est que…

Il ne s'attendait pas du tout à ça.

—D'accord, répond-il finalement.

—Il y a deux pupitres libres derrière Lili.

Tous les deux se déplacent avec leur cahier et leur trousse à crayons. Ils s'installent, puis ils commencent à répondre aux questions. Je les écoute d'une oreille, pour ne pas dire que je les espionne ! Ils ont l'air de bien s'entendre. J'ai le cœur gonflé de fierté et d'espoir.

Ils finissent le travail bien avant Mathilde et moi, qui avançons à pas de tortue. Je me dis qu'ils vont peut-être en profiter pour discuter un peu, mais non. Ils reprennent leurs effets personnels et retournent à leur place. Merdouille ! Je suis déçue. Je pensais qu'il aurait pu y avoir une petite ouverture…

Il ne faut pas que je me décourage, rien n'est perdu. C'est même un pas de géant que vient de franchir Romy en allant parler à Jérôme. Et il ne faut pas oublier que Lucy n'est pas encore passée à l'action… J'ai hâte à la suite !

Clara

13 avril

Depuis qu'on s'est embrassés, Étienne et moi, je pense qu'on est un vrai couple. J'ai un chum! Certains jours, je n'arrive pas encore à y croire. Ni l'un ni l'autre n'avons eu de chum ou de blonde auparavant. C'est un peu comme sauter dans le vide.

Clémentine a applaudi quand je lui ai annoncé la nouvelle, et ma sœur s'est mise à rire comme une folle.

—Ben quoi? Pourquoi tu ris? Tu n'aimes pas Étienne?

—Oui, oui, mais je savais depuis longtemps que c'était ton chum. C'est toi qui ne l'acceptais pas encore. Tu sais, on s'en fout un peu des mots. Ce qui est important, ce sont les sentiments qu'on ressent.

C'est rare que ma sœur soit aussi sage. Elle a bien raison. La relation entre Étienne et moi n'a pas commencé le 30 mars dans sa chambre, mais des mois avant. Quand j'y repense, Étienne a fait des folies pour moi l'an dernier, quand il se cachait derrière mon mystérieux admirateur.

Ce matin, François et Luis ont fait semblant d'être jaloux quand ils nous ont vus nous embrasser (encore !).

— C'est ça, hein, tu ne nous aimes plus ? Une fille passe et tu oublies tes vieux chums. On va s'en souvenir, Étienne Simard !

Étienne a lâché ma main et s'est précipité vers ses amis, avec un faux air menaçant.

— Vous voulez un bec ? Vous êtes vraiment sûrs ?

Il a essayé de les rattraper, mais François et Luis ont été plus rapides que lui. Il a couru derrière eux dans l'allée des casiers. Les autres l'esquivaient et se cachaient, et ils se bidonnaient de voir qu'Étienne n'était pas capable de les rejoindre. Ils ont cessé leur petit jeu quand une surveillante, arrivée de je-ne-sais-où, a surgi et les a sommés d'arrêter de courir. Ils ont retenu un fou rire et ont répondu bien poliment un « Oui, madame » peu convaincu. Quels bouffons !

J'ai beaucoup réfléchi à ce qu'a dit Estelle dans son exposé oral. Ça me hante depuis des semaines. Je n'arrive pas à me sortir de la tête qu'encore aujourd'hui, elle m'en veut. Elle a vu ma démission du journal comme une insulte, même si c'était très loin d'en être une. Je voudrais faire quelque chose pour m'excuser, mais je ne sais pas quoi.

Clémentine n'est pas d'accord avec moi. Selon elle, le problème d'Estelle est entre ses deux oreilles. C'est peut-être vrai en partie, mais je crois qu'il y a plus que ça. Ma participation au journal était venue renforcer ma relation avec Estelle. C'était une manière de lui montrer que je ne la voyais plus comme une personne que je devais aider, mais comme une camarade à part entière. Estelle a beaucoup de responsabilités au journal étudiant.

Hier soir, j'étais dans ma chambre, assise à mon bureau, et je réfléchissais encore une fois à toute cette histoire. Un moment donné, mon regard a été attiré par la pile d'exemplaires de mon livre de recettes à côté de moi. Je suis retournée en faire imprimer de nouveaux la fin de semaine dernière. Des collègues du père d'Étienne, qui ont goûté à plusieurs de mes recettes grâce à Chrystelle, voulaient à en avoir un, eux aussi. Je me suis résignée à les vendre au prix que me coûte l'impression, car je n'ai pas les moyens de tout payer et je ne peux pas demander à papa de le faire non plus. Ce serait exagéré. Je vais donner les livres à Étienne demain, quand j'irai chez lui. Je ne peux pas apporter tout ça à l'école, c'est trop lourd et, surtout, ça prend trop de place. Mon casier est tout petit.

En regardant ces livres, donc, j'ai eu une idée. Je n'ai encore rien dit à ma sœur ni à Clémentine, de peur qu'elles me critiquent. Surtout Clémentine. Elle s'énerve vite quand on parle d'Estelle. Mais j'ai écrit à Étienne.

Clara : Tu sais, cette histoire avec Estelle…

Étienne : Oui.

Clara : Pour remplacer mes poèmes dans le journal, j'ai pensé proposer à Estelle de publier certaines de mes recettes de desserts. Des recettes de mon livre.

Étienne : C'est une super bonne idée !

Clara : Tu es sûr ?

Étienne : Oui, sans blague !

Clara : Je ne sais pas si elle va être d'accord. Elle est tellement imprévisible des fois…

Étienne : Tu lui tends une perche. Après, c'est à elle de décider si elle l'attrape ou non. Tu sauras au moins que tu as fait ton bout de chemin pour essayer de résoudre le malentendu.

Clara : Vu comme ça, c'est vrai.

Étienne : Changement de sujet, ça fait longtemps que je n'ai pas lu un de tes poèmes.

Clara : Ha, ha ! C'est parce que tu as oublié de me lancer un nouveau défi !

Étienne : Comme on parle de malentendu, ce sera le sujet du prochain défi. Intéressant, non ?

Clara : Oui, je peux écrire toutes sortes de choses. Je te ferai lire mon poème quand je l'aurai terminé.

Étienne : J'ai bien hâte ! Je te laisse, François est en ligne et je dois lui parler de quelque chose d'important. À demain à l'école. XXX

Clara : À demain ! XXX+1

À midi, ça tombe bien, Clémentine est en retenue, alors je vais en profiter pour parler à Estelle. En fait, non, la retenue ne tombe pas bien. C'est toujours fâchant de devoir être enfermé dans un local pendant toute l'heure du dîner à copier des phrases telles que : « Je ne dois pas mâcher de la gomme à l'intérieur de l'école. » C'est pour cette raison que Clémentine est punie aujourd'hui. Non, mais quel règlement inutile ! Elle n'est pas la première à mâcher de la gomme, quand même ! Mais le prof de mathématiques suit les règles à la lettre. Clémentine m'a dit qu'au dernier cours, il a donné pas loin de dix retenues aux élèves de sa classe. J'ai intérêt à filer doux dans ses cours si je ne veux pas subir le même sort que mon amie.

Je tente de trouver Estelle à son casier, mais elle n'y est pas. Je n'ai pas plus de chance au local du journal étudiant. Il me reste la place de l'Amitié ou la bibliothèque. Ça m'étonnerait beaucoup qu'elle soit dehors, ce n'est pas du tout dans ses habitudes d'aller marcher. Comme je suis plus près de la place de l'Amitié, je la cherche là. Presque toute l'école se rassemble ici le midi, après avoir fini de manger. Je finis par la voir. Elle est assise sur un banc, près de la porte arrière, et elle lit un livre. Je respire profondément et je m'approche.

— Estelle, j'aimerais te parler.

— Je n'ai rien à te dire.

— Moi oui. Tu as juste à m'écouter, même pas besoin de me répondre.

Elle émet un petit grognement et tourne une page de son livre.

—Je sais que tu as été fâchée que j'arrête d'écrire des poèmes pour le journal. Mais je n'avais plus envie que toute l'école me lise. C'était devenu trop lourd pour moi. Les derniers temps, je composais des poèmes pour mon admirateur secret seulement. Maintenant qu'il n'est plus secret, je passe à autre chose. Je ne voulais pas me venger ni te créer des problèmes.

Le visage d'Estelle est aussi fermé qu'au début de notre conversation. Ce n'est pas encourageant.

—C'est tout ce que tu voulais me dire?

—Non. Pour m'excuser, je te propose quelque chose. Je voudrais publier des recettes de desserts dans le journal. J'ai fini mon livre de recettes. Tu pourrais choisir celles que tu préfères! J'ai gardé un exemplaire pour toi. Il est dans mon casier depuis des semaines.

Elle ne répond pas. Elle a l'air de réfléchir.

—Penses-y. Tu viendras me voir si tu es inté-ressée? Tu sais où me trouver.

Je me demande bien si elle va accepter...

Lili

20 avril

Dans un peu plus d'un mois, c'est le spectacle de fin d'année. J'ai tellement de mal à remonter la pente depuis que je me suis cassé une jambe ! Mes performances sont médiocres. Mes profs n'ont pas l'air de s'en faire, mais moi, oui. Je danse beaucoup mieux d'habitude. Il faut dire que ma jambe se fatigue plus facilement. C'est un peu comme si mon corps était rouillé et que je devais le remettre en état de marche. C'est long, c'est difficile, et c'est beaucoup de travail. J'ai l'impression aussi que les autres élèves de mon groupe me jugent. Quelques filles doivent se dire que je ferais mieux de retourner dans le groupe B. Il faut reconnaître que je suis moins bonne qu'avant... Mais j'ai bien l'intention de prouver à tout le monde que je peux retrouver le même niveau de performance qu'avant mon accident.

Madame Loiseau nous a annoncé au début de l'après-midi qu'une chorégraphie serait ajoutée au spectacle, et que celle-ci serait exécutée par quelques élèves du groupe A et quelques élèves du groupe B. Elle a dit que c'était pour « démontrer l'entraide et la coopération dont les élèves de l'école font preuve tous les jours dans leur processus d'apprentissage de la danse ».

J'ai d'abord trouvé que c'était un peu bizarre, mais après, j'ai pensé que c'était sûrement une idée de Lucy pour que Jérôme et Romy fassent une activité ensemble. Comme si les astres s'étaient alignés, ces deux-là se sont retrouvés sélectionnés pour faire ce numéro avec trois autres personnes, dont Louka. Moi, je ne l'ai pas été, peut-être à cause de ma forme physique. Je ne serai pas mise à l'avant-plan pour ce spectacle. Je ne ferai même pas tous les numéros… Louka sera donc mes yeux et mes oreilles. Je l'ai mis dans la confidence, car il a suivi l'histoire d'amour (imaginaire) de Romy avec son frère depuis le tout début.

À la pause entre les deux cours de danse de l'après-midi, Romy vient me trouver. Elle avale tout d'abord la moitié de sa bouteille d'eau et reprend un peu son souffle avant de parler. Moi aussi, je suis essoufflée. Une goutte de sueur a même glissé dans mes lunettes. Je les essuie avec un pan de mon t-shirt. On a vraiment travaillé fort dans le cours de ballet classique. Sandrine, notre prof, est très exigeante ces temps-ci.

— Es-tu sûre que c'est une bonne idée ? lance Romy.

— Quoi ? La chorégraphie avec des élèves du groupe A et du groupe B ? Pourquoi pas !

— J'ai peur que les autres me trouvent poche. Louka et Jérôme sont super bons.

— Mais toi aussi ! Et il y aura deux autres filles du groupe B avec toi. Ça devrait te rassurer.

— Je trouve que c'est un peu tard dans l'année pour décider d'ajouter un nouveau tableau. Le spectacle est dans cinq semaines. Je me demande bien ce qu'on va faire…

— Madame Loiseau a parlé de quelque chose à propos d'un dragon, mais elle n'a rien dit de plus. Je vais au petit coin avant mon cours de claquettes. On se retrouve plus tard ?

— Je ne pourrai pas te parler ce soir. On a une rencontre à propos de cette chorégraphie de dernière minute. J'espère juste que le dragon, ce ne sera pas moi !

— Ha ! ha ! Ne t'inquiète pas, voyons. Tu seras sûrement la belle princesse à délivrer de cette méchante créature !

Je me dirige vers les toilettes et je croise Lucy dans le corridor. Je m'assure que personne ne peut nous entendre.

— C'était ton idée, hein ? chuchoté-je.

— Oui ! J'ai eu un peu de difficulté à convaincre Chantale, mais j'ai plus d'un tour dans mon sac !

C'est drôle d'entendre quelqu'un appeler madame Loiseau par son prénom, il n'y a que Lucy qui le fasse. C'est sa fille, après tout !

— Super !

— Au fait, nous avons terminé de coudre les costumes pour le tableau sur les lutins. Les essayages se feront demain au début de l'après-midi. Et nous sommes très avancées pour les robes de fées. Elles sont si belles ! Vous allez être magnifiques le soir du spectacle !

— J'ai hâte de les voir !

Je ne serai peut-être pas la danseuse étoile de la soirée, mais au moins, j'aurai mis ma touche personnelle dans les costumes. Je n'en ai pas encore parlé à Lucy ni même à madame Loiseau, mais j'aimerais bien conserver un exemplaire de chacun des costumes, en souvenir.

Lili

26 avril

J'ai invité Louka à la maison ce soir. Sa mère est en voyage d'affaires et il n'avait pas envie de passer la soirée avec Elias et sa blonde.

— Ils n'arrêtent pas de s'embrasser. Une vraie usine à bave! Charlotte est très gentille, mais je ne suis plus capable de les voir se tripoter tout le temps dans la cuisine, le salon, le corridor!

— Je te comprends. Ça me fait plaisir que tu viennes chez nous. Ma sœur a décidé de décorer un gâteau pour son chum. Il est en forme de table de billard. Elle sera sûrement occupée toute la soirée.

Maman vient tout juste de rentrer, nous souperons donc un peu plus tard que d'habitude. Elle trouve son retour au travail difficile. Elle ne nous l'a pas dit ouvertement, mais elle a l'air très fatiguée, et je l'ai surprise à pleurer dans les bras de papa un soir. Une chance que tout va bien du côté de Violette. Ma grand-mère en est complètement gaga.

Papa a proposé de commander une pizza et maman a été la première à accepter. En attendant, on relaxe. Je suis assise sur la chaise pivotante, les deux pieds sur le bureau, et Louka est étendu sur mon lit. Nous écoutons de la musique. Du Arcade Fire. Mais pas trop fort pour ne pas que ma mère m'avertisse. Je ne savais même pas que c'était un groupe montréalais, c'est Louka qui me l'a appris.

Je ne sais pas pourquoi, mais j'ai envie de mettre certaines choses au clair avec mon ami, juste pour vérifier que nous sommes sur la même longueur d'onde.

— Louka, est-ce que je peux te parler de quelque chose d'un peu délicat?

Il fronce les sourcils et hausse les épaules.

— Mais oui, tu peux tout me dire.

— Plusieurs personnes m'ont demandé pourquoi je ne sortais pas avec toi. Dans ma tête, tu es un très bon ami, mais personne n'a l'air de comprendre qu'un garçon et une fille peuvent être tout simplement amis…

Je laisse ma phrase en suspens quelques instants.

— Continue…

— Toi, éprouves-tu quelque chose de plus? Tu n'es pas obligé de me répondre.

Louka plisse un peu les yeux. Il semble chercher les bons mots dans sa tête. Je me mords la lèvre, je me demande si j'ai bien fait de parler de ces choses avec lui... Il ne me répond pas directement.

—Moi aussi, je voudrais discuter de quelque chose de délicat avec toi. Mais il faut que tu me promettes que tu garderas ça pour toi.

—Je te le jure !

—Tu ne le diras pas à Romy, pas même à ta sœur ?

—Promis juré craché. Mais je ne cracherai pas, d'accord ?

On dirait que j'ai peur de ce qu'il va me confier. Toutes sortes d'idées me passent par la tête.

—Je n'en ai jamais parlé à personne, sauf à Elias.

Silence. Attente.

—Lili... je ne suis pas sûr que j'aime les filles.

Ah ben ! C'est drôle, ça ne m'étonne pas telle-ment. Cela m'avait vaguement effleuré l'esprit, à un moment donné, puis j'avais arrêté d'y penser.

—Depuis le primaire, les garçons autour de moi parlent des filles avec qui ils aimeraient sortir. Je les entends parler de leurs seins, de leurs yeux, de la petite culotte qu'ils ont vue sans faire exprès. Ça ne m'a jamais allumé. J'aime les filles, je t'aime toi, mais comme amies seulement. Romy aussi, d'ailleurs.

—Alors, tu aimes les garçons, c'est ça?

Il hésite.

—Oui et non. C'est encore flou dans ma tête. En fait, je ne sais pas vraiment. Je n'ai jamais été amoureux encore. Mais je suis sûr que je n'ai pas le goût d'avoir une blonde pour l'instant, dit-il d'une toute petite voix.

—Pourquoi tu chuchotes? Es-tu gêné?

—Je ne veux pas me faire écœurer. Déjà, on m'embête parce que je suis inscrit en danse-études. Il y en a qui disent que c'est juste les tapettes qui dansent. Et je ne veux pas en parler à mes parents. Pas tout de suite, en tout cas. Pas avant d'être sûr.

Il tourne un coin de mon drap entre ses doigts. Il le fixe, mais j'ai l'impression qu'il ne le voit pas. Il est perdu dans ses pensées. Dévoiler ce secret a dû être très difficile pour lui.

—Est-ce que ça te rend malheureux?

—Un peu. J'aimerais que ça soit simple, ne pas avoir à me poser de questions, comme toi, par exemple. Tu aimes les gars, c'est clair comme de l'eau, tu n'as même pas besoin d'y penser.

Je prends sa main et je la serre très fort.

—Je vais être là, moi. Ne t'inquiète pas, tout va bien aller.

Et c'est ce que j'espère de tout mon cœur.

Clara

29 avril

Estelle a mis du temps à me répondre. Ce n'est que ce matin qu'elle m'a dit qu'elle acceptait mon offre. Dans le dernier journal de l'année, qui sera publié en mai, elle veut inclure deux recettes, idéalement des recettes qui se font bien l'été. Tout de suite, j'ai pensé au shortcake aux fraises et au clafoutis aux petits fruits. Au début de l'été, c'est le temps des fraises, et ensuite des framboises et des bleuets. Ce sont des choix gagnants.

Mais j'ai oublié de réfléchir à quelque chose : est-ce que je signe ces recettes de mon vrai nom ? Avant, j'avais un pseudonyme, personne ne savait qui se cachait derrière la plume de Noisettine. C'est sûr que le contenu de mes poèmes était beaucoup plus personnel... Une recette ne peut pas vraiment compromettre mon intimité ! Mais je n'aime pas que l'attention soit tournée vers moi.

Les autres élèves de la classe et les profs vont sûrement m'en parler, et je vais être hyper gênée. Estelle me laisse une semaine pour décider de ce que je veux faire. Elle n'a pas voulu me donner son avis. Notre relation n'est plus comme avant. Une chance que j'ai Clémentine et Étienne...

Je suis justement à la maison des jeunes avec eux. En fait, tous les habitués que je connais sont ici : Anaëlle, Luis, François, ma sœur et Romy. J'ai apporté mon livre de recettes à Charline, une des animatrices, qui voulait ab-so-lu-ment l'avoir. Elle m'a vue y travailler plusieurs fois ici cet hiver, et je lui avais promis un exemplaire.

Pour me faire un clin d'œil, Clémentine a apporté des cupcakes avocat et lime dont la recette est justement dans mon livre. Dès qu'elle ouvre le couvercle du contenant où les cupcakes se trouvent, tout le monde se dispute pour savoir qui aura le premier.

—S'il y a de la chicane, je les garde tous pour moi ! blague Clémentine.

Chacun se sert donc bien sagement. Pendant quelques secondes, personne ne parle.

—Ils ne sont pas mauvais, dit Étienne en faisant un clin d'œil à mon amie.

—Moi aussi, j'ai essayé cette recette parce qu'elle m'intriguait, et je trouve que mes cupcakes étaient meilleurs, le taquine Romy.

183

— Non, ce sont les miens qui étaient les meilleurs, renchérit ma sœur.

Romy écarquille les yeux, tout étonnée.

— Tu cuisines, toi ? C'est nouveau !

— Oui, ça m'arrive. On a quand même quelques gènes en commun, Clara et moi !

— Je n'avais pas remarqué, ajoute Étienne en m'embrassant doucement.

Luis gratte le petit moule en papier avec ses ongles pour ne pas perdre une miette du gâteau.

— Vous savez, il y aurait une façon de déterminer qui est le cuisinier le plus doué… À part ma blonde, bien sûr ! précise Étienne. On sait tous qu'elle est imbattable.

Un frisson me parcourt en l'entendant prononcer le mot « blonde ». Je suis la blonde d'Étienne. C'est presque un rêve !

Les autres paraissent intrigués par ce que vient de dire « mon chum ». Il poursuit.

— On n'a qu'à faire un concours ! Chacun prépare une recette du livre de Clara, et c'est elle qui déterminera qui a cuisiné le meilleur dessert. Elle est tellement habituée d'en faire qu'elle sera une bonne juge. Et ce sont des recettes qu'elle a inventées, en plus !

— Je trouve que c'est une bonne idée, déclare Romy.

Clémentine et Anaëlle hochent aussi la tête.

—C'est sûr que je vais perdre, lance Luis. Je suis seulement bon pour les manger, les desserts.

François avale sa dernière bouchée et lui répond, la bouche pleine :

—Ne dis pas ça, on ne sait jamais. Je n'ai pas beaucoup d'expérience, moi non plus. Tu n'as qu'à faire la recette plusieurs fois.

Ma sœur se tourne vers moi.

—Et toi, Clara, qu'est-ce que tu en penses ?

Je souris. J'ai répété si souvent à ma sœur que je déteste qu'on m'oblige à faire des choses, que je préfère être consultée. Elle a fini par enregistrer le message !

—C'est une bonne idée. Je veux bien être juge. Ça peut être drôle. Mais d'habitude, dans ce genre de concours, il y a toujours plus d'un juge…

—Et si je demandais à ma mère ? propose Étienne. Elle aussi est une pro des desserts ! Je suis sûr qu'elle va dire oui.

Tous mes amis approuvent. Le concours aura lieu ici dans deux semaines exactement. Comme ça, Luis aura le temps de s'exercer ! Lili va trouver Charline pour obtenir la permission de réaliser cette activité à la maison des jeunes, et celle-ci trouve l'idée géniale. À notre grande surprise, elle propose même d'y participer. Il y aura donc huit concurrents.

Pour une fois, je n'ai aucune raison de m'inquiéter, car je n'ai rien à préparer. Il faut juste que je ne mange pas trop avant la compétition, puisque j'aurai plusieurs desserts à goûter !

Lili

7 mai

—En tout cas, il faut que je travaille fort pour être au même niveau que Jérôme et Louka. Maria est venue chez moi hier après-midi pour répéter la chorégraphie. Je crois qu'elle est aussi anxieuse que moi.

—Arrête de t'inquiéter. Tu vas être super. J'en suis sûre.

—J'aimerais en être aussi convaincue que toi !

—Romy, ne te retourne pas, mais je crois que Jérôme te regarde.

Mon amie se tortille sur sa chaise. Je vois bien qu'elle se fait violence pour s'empêcher de bouger la tête.

—Encore !

C'est la deuxième fois que je lui fais le coup depuis dix jours. Tout d'abord, je lui ai fait croire qu'il ne la lâchait pas des yeux dans l'autobus qui nous menait à notre sortie au théâtre avec l'école.

— Mais pourquoi ? Est-ce que j'ai fait quelque chose de mal ?

Je pouffe de rire en manquant de m'étouffer avec mon muffin.

— Voyons, Romy, réfléchis un peu. S'il t'observe comme ça, c'est peut-être parce qu'il te trouve de son goût !

Et vlan ! Une graine de doute est semée dans son esprit. Je ne lui laisse pas le temps de répondre et je me lève de table. Elle se dépêche de ramasser son sac à lunch et me rattrape en courant, après s'être retournée subtilement pour jeter un coup d'œil à Jérôme.

— Hé ! Attends-moi, Lili ! Ne t'en va pas comme ça !

Elle finit par me rattraper et me tire un peu le bras pour que j'arrête de marcher.

— Tu ne peux pas lâcher une bombe et t'en aller ! Pourquoi penses-tu qu'il me trouve peut-être de son goût ? Est-ce qu'il t'a dit quelque chose à mon sujet ?

Je m'en veux un peu de mentir à ma meilleure amie, mais je le fais pour son bien. Et ce n'est qu'un tout petit mensonge.

— Il n'a rien dit de précis, mais il m'a posé une ou deux questions l'autre jour…

Elle est pendue à mes lèvres. Il faut que je pèse chacun de mes mots.

— Il m'a juste demandé si tu avais un chum. Et je lui ai dit non.

— C'est tout ?

— Oui, il me semble.

Romy reste songeuse. Elle se rend à son casier sur le pilote automatique. Dans l'autobus qui nous conduit à l'école de danse, elle est peu bavarde, alors j'en profite pour jaser avec Louka. Notre complicité est encore plus forte depuis qu'il m'a confié son secret.

L'après-midi, Romy ne me reparle pas de Jérôme, ni de qui que ce soit d'ailleurs, car nous sommes super occupées. C'est l'essayage des costumes pour le spectacle. Deux amies de Lucy sont là, leur pelote à épingles à la main, pour faire des retouches.

Je m'assois sur une chaise, je redresse mes lunettes et je les regarde travailler avec émerveillement. J'ai dessiné ces robes, ces jupes… Comme elles sont belles ! Non, elles ne sont pas belles, elles sont magnifiques ! Les costumes des deux garçons sont plus moulants, plus simples aussi, et complètent parfaitement ceux des filles. Le grand soir, mes amis et moi serons éblouissants.

Madame Loiseau passe devant le local où nous sommes installées et revient sur ses pas lorsqu'elle remarque que je suis là.

— Lili Perrier ! Mais que fais-tu là ? On t'attend dans le grand local de danse. On se débrouillera très bien sans toi ici. Il faut que tu répètes les chorégraphies, tu as déjà pris beaucoup de retard.

Je soupire, mais pas trop fort pour éviter que madame Loiseau m'entende. Je sais que je n'ai rien à faire ici. Je ne suis d'aucune utilité, ma part du travail est terminée depuis des semaines. Et c'est tout à fait vrai que je dois passer le plus de temps possible à danser. Allez, hop ! J'y vais !

Je savais que Romy ne pourrait en rester là. Elle m'a appelée et m'a écrit deux fois pour me demander si Jérôme m'avait posé d'autres questions à son sujet. Elle me parle moins d'Elias. Est-ce que notre plan commencerait à porter ses fruits ?

De son côté, Lucy m'a confié qu'elle avait aussi glissé une petite allusion à propos de Romy à son petit-fils pendant un souper de famille. Mais pas devant tout le monde ! Elle a attendu qu'ils soient juste tous les deux dans la même pièce. Dans les films, ce genre de tactique fonctionne toujours. Comme les princes épousent toujours les princesses. Mais là, on est dans la réalité. Je me demande bien ce qu'il arrivera dans les prochaines semaines. Il faut que ça bouge avant la fin de l'année scolaire.

Romy est toujours en ligne.

Lili : Mais toi, Romy, qu'est-ce que tu penses de Jérôme ? Est-ce que tu le trouves de ton goût ?

Romy : C'est difficile à dire... Je ne crois pas. Mais peut-être un peu.

Lili : Il est beau, quand même.

Romy : Oui, mais je ne suis pas sûre que ce soit mon style.

J'ai l'impression que Romy fait sa difficile. On ne peut pas demander mieux que Jérôme. Il est plus grand que nous, il n'a presque pas de boutons, et comme il fait de la danse tous les jours, il a une silhouette athlétique. Ses cils interminables lui donnent un beau regard de velours. Je l'ai même déjà entendu dire qu'ils frottent dans ses lunettes de soleil tellement ils sont longs.

Lili : C'est quoi ton style ?

Romy : Plus comme Elias.

Ah, merdouille ! Pas encore lui... Il faut que je change de sujet, je ne veux pas lancer une autre conversation à propos du frère de Louka.

Lili : À propos de Jérôme... Tu devrais peut-être apprendre à le connaître un peu plus.

Romy : Je ne dis pas non...

Une chance que Romy n'est pas devant moi, car elle trouverait mon sourire fendu jusqu'aux oreilles très louche. J'ai hâte de voir Lucy à l'école demain pour lui raconter notre conversation.

Clara

10 mai

Je me lance. Je vais publier mes recettes dans le journal étudiant sous mon vrai nom. Je l'ai dit à Estelle ce matin, mais elle n'en a pas fait de cas. On dirait qu'elle s'est complètement détachée de moi. Je fais des efforts pour renouer les cordons de notre amitié, mais quand je vois comment elle réagit, je me demande si ça en vaut la peine. Clémentine avait peut-être raison… Mais j'y ai beaucoup réfléchi et j'en suis venue à la conclusion que je ne fais pas seulement ça pour Estelle, mais aussi pour moi. Pour me sentir mieux.

C'est Étienne qui m'a convaincue. Il m'a dit qu'il était fier de moi et qu'il avait envie que toute l'école sache que je suis une « remarquable pâtissière ». Tous ces beaux compliments me rendent toujours aussi mal à l'aise, mais j'ai réussi à me convaincre de ne pas me laisser intimider. Il n'y aura sûrement pas cent personnes qui vont s'amuser à faire un shortcake aux fraises ou un clafoutis dans les prochaines semaines, alors je risque d'avoir peu de retours sur mes recettes.

Je me trouve bonne. Maintenant, quand je me répète quelque chose plusieurs fois, j'arrive à passer par-dessus mes peurs. J'oublie presque complètement les scénarios les plus catastrophiques. Quand j'ai des idées sombres, je me force à penser à des choses plus joyeuses : lorsque j'ai avoué mon amour à Étienne en décembre dernier, le jour où j'ai vu Violette la première fois, la plage de Cape Cod sous un soleil resplendissant, Lili et moi qui dormons dans le même lit, collées, collées… Avant, je n'étais pas capable de faire ça. Ma sœur et Étienne m'ont beaucoup aidée à reprendre confiance en moi.

Je suis toujours la même Clara secrète et timide, mais j'évolue petit à petit. Je pourrais même dire que je m'améliore. C'est fou comme l'amour peut transformer une personne.

Clara

13 mai

Cet après-midi, c'est le concours de recettes. J'ai bien hâte de découvrir ce que je vais manger. Chrystelle et moi allons faire une dégustation à l'aveugle. Je ne sais même pas ce qu'a préparé ma propre sœur! Elle m'a « obligée » à passer l'avant-midi chez Étienne pour être sûre et certaine que je ne devine pas ce qu'elle cuisine.

— Quand tu fais un gâteau au chocolat, ça sent partout dans la maison. Même chose si tu fais des tartelettes aux fraises ou n'importe quel autre dessert. Je veux que mon dessert soit sur un pied d'égalité avec ceux des autres.

— Tu penses que tu aurais droit à un traitement de faveur parce que tu es ma sœur? Tu me connais mal, lui ai-je répondu avec un sourire en coin.

Étienne est allé cuisiner chez François hier soir, alors je ne risque pas de découvrir son plat « par hasard ». C'est François qui l'apportera plus tard, directement au Hameau.

— S'il ne mange pas tout avant ! a rigolé Étienne lorsqu'il m'a téléphoné en soirée.

— C'est vrai que c'est un risque à prendre !

Lorsque j'arrive chez Étienne, il est sous la douche, alors je l'attends au rez-de-chaussée avec sa mère et sa sœur. Son père est en train d'arracher des pissenlits dehors et Chrystelle fait deux tresses compliquées dans les longs cheveux de Flavie qui reste assise, immobile, en attendant que ce soit terminé. Il n'y a que ses mains qui papillonnent comme je l'ai souvent remarqué. Je m'assois à côté d'elles et j'observe Chrystelle croiser et recroiser les mèches habilement. Il faudrait que je lui demande un jour comment faire. Je n'ai jamais vu quelqu'un d'aussi doué qu'elle.

Chrystelle lève les yeux, semblant chercher quelque chose sur la table. Elle incline la tête, puis me regarde.

— Clara, pourrais-tu ramasser l'élastique que j'ai fait tomber, là, à côté du pied de la chaise ?

Je me penche pour attraper le petit élastique rose sur le sol. Lorsque je me relève, je frôle sans faire exprès la jambe de Flavie qui se met aussitôt à pousser des cris stridents. Sur le coup, je sursaute et ma tête heurte le dessous de la table. Aïe !

Je me frotte le crâne de la paume de la main. Mais qu'ai-je fait ? Je l'ai à peine effleurée !

— Est-ce que ça va, Clara ?

— Moui... Faut croire que j'ai la tête dure.

Flavie continue de crier même si je ne la touche plus. Chrystelle tâte mes cheveux.

— Tu auras peut-être une petite bosse. Je vais te donner de la glace dans deux minutes.

Elle se tourne vers sa fille et s'agenouille pour être à sa hauteur.

— Flavie, regarde-moi. On va parler de ce qui est arrivé. On va se calmer ensemble, d'accord ? Sinon, tu vas tout défaire tes belles tresses.

Chrystelle continue d'essayer de lui changer les idées pour qu'elle cesse de crier. Il lui faut quelques minutes pour parvenir à contenir ses cris.

— Qu'est-ce qui est arrivé ? lui demande-t-elle lorsqu'elle s'est enfin tue.

— Elle m'a touchée.

— D'accord, Clara t'a touchée sans faire exprès, mais est-ce qu'elle t'a fait mal ?

Flavie ne répond pas.

— Allez, j'attends ta réponse. Est-ce qu'elle t'a fait mal ?

— Non, dit-elle d'une toute petite voix.

— Alors ça ne sert à rien de crier de la sorte. Regarde, Clara a eu peur et elle s'est cogné la tête.

Étienne arrive sur ces entrefaites. Ses cheveux mouillés brillent au soleil. Il sent bon le savon. Chrystelle lui demande de me donner de la glace pour ma tête. Il me regarde drôlement.

—Qu'est-ce qui se passe?

Je baisse la voix.

—En voulant ramasser quelque chose par terre, j'ai accroché la jambe de ta sœur et elle a hurlé.

Il soupire, navré. Sa mère continue de parler avec Flavie qui n'a pas l'air très contente.

—Ce n'est pas la première fois que ce genre de chose arrive. Elle n'aime pas se faire toucher. Il n'y a que maman, papa et moi qui pouvons le faire sans que ça fasse un drame.

Il me prend dans mes bras pour me rassurer. C'est vrai que je suis un peu secouée. Flavie me déstabilise chaque fois que je la vois... Justement, elle s'approche de nous. Étienne recule d'un pas.

—Je m'excuse, dit-elle sans me regarder dans les yeux.

Ses paroles sonnent faux et je sens bien qu'elle vient me voir seulement parce que sa mère le lui a demandé.

—Ce n'est pas grave...

Sans demander son reste, elle sort de la pièce avec Chrystelle.

—Bientôt, nous devrions avoir un chien Mira, dit Étienne en les regardant s'éloigner. J'espère que ça va l'aider. Je ne sais pas comment maman fait pour avoir autant de patience.

Un chien Mira ? Il me semblait que ces chiens étaient réservés aux aveugles. Mais je n'ose pas poser la question à Étienne de peur d'avoir l'air stupide. J'irai chercher des informations sur Internet ce soir avant de lui en reparler.

C'est vraiment ridicule. Je dois entrer dans la maison des jeunes avec un bandeau sur les yeux. Chrystelle aussi. Elle a l'air de trouver que c'est drôle, mais moi, non. Voyons, c'est un concours amical, pas une compétition olympique ! Mais ma sœur et Clémentine sont formelles : sans bandeau, nous n'entrons pas. Je suppose que mes amis sont en train de mettre les desserts sur la table et de brouiller les pistes.

—D'accord, d'accord, grogné-je. Mais je veux donner la main à quelqu'un jusqu'à ce que je sois assise. Je ne veux pas trébucher contre une chaise ou un objet qui traîne sur le sol. J'ai déjà donné aujourd'hui dans les accidents… Et pas question de me casser une jambe comme ma sœur !

Étienne m'embrasse sur la joue.

— Je te tiendrai les deux mains si tu veux !

C'est donc dans le noir le plus total que j'entre dans la maison des jeunes. J'entends toutes sortes de voix autour de moi. Étienne me guide et je ne heurte rien sur mon chemin. Je m'assois finalement et Lili me permet d'enlever mon bandeau. Charline a annoncé le concours sur le tableau noir à l'entrée, et il y a un peu plus de monde que d'habitude. Je respire profondément pour me calmer.

Devant Chrystelle et moi se dresse une grande table recouverte d'une belle nappe blanche et remplie de desserts. Une banderole colorée où est écrit « Concours de desserts » en lettres dorées est suspendue au-dessus. Je remarque que les serviettes et les assiettes sont également dorées. Quelqu'un a passé beaucoup de temps à s'occuper de la décoration.

— C'est beau, hein ? dit ma sœur. C'est Clémentine qui s'est appliquée à ce que tout soit parfait.

Je reconnais bien là la touche artistique de mon amie. Elle a de quoi être fière ! Sans que je ne m'y attende, Romy prend une photo de moi et le flash m'aveugle quelques secondes.

— Je suis sûre que tes parents voudront voir comment ça s'est passé !

Ma sœur s'improvise animatrice du concours.

—Bonjour, tout le monde! Bienvenue au premier concours de desserts de la maison des jeunes Le Hameau. Aujourd'hui, huit concurrents s'affronteront dans une lutte féroce pour charmer les papilles gustatives de Clara, que vous connaissez déjà, et de Chrystelle, la mère d'Étienne ici présent.

Ma sœur baisse la tête et me fait un clin d'œil par-dessus ses lunettes avant de poursuivre.

—Les desserts ont été disposés sur la table avant l'arrivée de nos deux juges. Elles ne savent donc pas ce que chacun a cuisiné. Tous les plats sont identifiés par un numéro. C'est Lolo, l'autre animateur de la maison des jeunes, qui a la liste des numéros attribués à chaque concurrent. C'est lui qui dévoilera le nom du gagnant ou de la gagnante.

Anaëlle lève le doigt pour poser une question.

—Oui? fait Lili.

—J'aimerais ajouter quelque chose. J'ai un prix pour le gagnant. Celui qui remportera la compétition recevra deux laissez-passer pour assister à la populaire émission de télévision *Danse ta vie*.

Toutes les personnes présentes laissent échapper un «Ooooh!» simultanément. C'est à cette émission que danse Emmanuel, le frère d'Anaëlle. Nous l'avons regardée plusieurs fois, car Emmanuel a été le professeur de hip-hop de ma sœur jusqu'en décembre. C'est un sapristi de bon danseur! C'est super gentil à lui de nous offrir ces billets. Comme il y a maintenant un prix, ça donne un petit côté plus officiel au concours.

Chrystelle et moi avons fait une feuille d'évaluation avec quelques critères: l'apparence générale, la texture, le goût... Quelle n'est pas notre surprise de voir François, habillé en domestique, s'approcher de la table des desserts. Il porte une petite robe noire et un tablier blanc, et il a posé un bonnet sur sa tête. Je pouffe de rire. Mais quelle folle idée lui est passée par la tête? Étienne se tient les côtes. Il rit tellement que des larmes coulent sur ses joues. François regarde Étienne, me regarde et soupire.

—On a fait un pari. Et j'ai perdu. Ça aurait pu être ton chum, tu sais!

Étienne ne m'a pas parlé de ce pari, mais je ne suis pas étonnée! C'est tout à fait le genre de chose que font souvent ces deux-là...

—Allez, servante! Fais ton travail, sinon tu recevras des coups de fouet! ajoute Étienne en essayant de garder son sérieux.

—Tu ne perds rien pour attendre! Je vais me reprendre un jour, tu verras!

Chaque dessert est découpé en petites portions. Même si j'ai la dent sucrée, je serais incapable de manger huit desserts complets!

François (ou on pourrait dire Françoise!) nous apporte le premier dessert. Je reconnais là mes cupcakes au citron. Chrystelle et moi en prenons une bouchée. Ouch! Il y a trop de citron. Assurément, ce ne sera pas le gagnant.

Mes amis et d'autres jeunes, spectateurs eux aussi, ont les yeux braqués vers nous. Je grimace. Et pas à cause du citron. Je n'aime pas être regardée ainsi. Je ne me sens pas bien. Puis, je vois Étienne qui me sourit. Je lui rends son sourire. Il me redonne du courage, comme toujours.

Passons au prochain dessert. Un shortcake aux fraises. C'est sûr que ce n'est pas encore le temps des fraises, alors elles sont moins sucrées, mais le reste est bon, sans plus. S'ensuivent le baba au rhum, le pain aux bananes, le cupcake érable et bacon, le cupcake au caramel salé, le gâteau fraise et chocolat (tiens, tiens, encore des fraises), et finalement la tarte aux poires.

Ce dernier dessert se démarque de tous les autres. Même si la personne qui l'a préparé a suivi ma recette, on dirait qu'il y a un petit quelque chose de plus, un petit «oumph» qui lui donne une belle personnalité.

Chrystelle et moi allons dans le bureau des animateurs pour nous concerter. Les délibérations ne sont pas longues, car elle aussi a préféré la tarte aux poires.

—C'est un dessert que je n'ai jamais cuisiné, mais ce que nous avons goûté m'a donné envie d'essayer.

—Je me demande bien qui l'a préparé...

—Ce n'est pas Étienne, en tout cas. Il n'y avait pas de poires à la maison.

Ah, dommage! J'aurais bien aimé que ce soit lui le gagnant. Ou ma sœur. On verra ça dans quelques minutes... mais il n'y avait pas de poires chez moi non plus. À moins que Lili soit allée en acheter. Ou qu'elle ait envoyé papa à l'épicerie.

Nous allons retrouver Lolo pour lui divulguer le numéro du dessert gagnant. Il consulte sa liste et trouve rapidement ce qu'il cherche.

—Oh! s'exclame-t-il en souriant.

—Oh, quoi? C'est qui? lui demandé-je, impatiente.

Il plie sa feuille et la range dans sa poche pour ne pas que je voie ce qui y est écrit.

—Tu le sauras en même temps que tout le monde, curieuse!

Il prend mon bras et nous nous avançons vers les autres. Ils parlent tous entre eux et personne ne remarque notre arrivée.

—Hey, gang, voulez-vous savoir qui a gagné? s'époumone-t-il.

Luis se tourne vers nous et donne un coup de coude à François (qui a enlevé son costume de bonne). On entend des «chut», et en quelques secondes il n'y a plus un bruit.

—J'ai le plaisir de vous annoncer le nom de la personne gagnante. Celle qui a préparé le meilleur dessert est... Romy Foucreault! Félicitations!

Romy saute de joie. Je suis contente pour elle. Je sens que je sais qui va l'accompagner à l'émission...

—Ah! J'étais sûr que je ne gagnerais pas, maugrée François à côté de moi.

—Pourquoi? Tu avais autant de chances que les autres.

—Oui, mais j'ai fait une petite erreur en préparant la recette. Je pensais que je m'étais rattrapé, mais j'ai bien vu ta grimace quand tu as mangé un morceau de mon cupcake au citron.

Je pouffe de rire.

—C'était toi, alors? Tu es allé un peu fort sur le citron!

—Mouais... J'en ai mis deux fois trop. Luis m'a appelé pendant que je cuisinais et quand j'ai raccroché, j'ai mis une deuxième mesure de jus de citron parce que j'avais oublié que je l'avais déjà fait avant. J'ai rajouté du sucre, mais je pense que ce n'était pas assez.

—Au moins, tu peux te dire qu'à l'avenir, ça ne peut que s'améliorer!

—Ha, ha! Et tu n'as pas goûté à mon premier essai... C'était pire!

Juste avant de partir de la maison des jeunes, je vais féliciter Romy, car je n'ai pas encore eu l'occasion de le faire. Je lui demande si elle a mis un ingrédient de plus dans la recette originale ou si c'est seulement sa touche magique qui a fait que sa tarte était si bonne. Elle est étonnée.

— Tu as goûté la différence ? Je ne savais pas si j'avais bien fait. C'est ma mère qui m'a encouragée à ajouter un ingrédient.

— Alors, c'était quoi ?

Ses yeux brillent.

— C'est de l'alcool de poire. C'est super drôle, il y a une poire dans la bouteille. Je ne sais pas comment ils font pour la faire rentrer dedans.

— Ah ! Je vais vérifier si on en a à la maison la prochaine fois que je préparerai une tarte aux poires. Merci !

Lili

17 mai

Ce soir, je suis restée à l'école de danse pour attendre Romy. Elle répète le numéro du dragon pour le spectacle et quand ce sera fini, elle viendra dormir à la maison. C'est l'anniversaire de personne, on n'a aucun travail d'équipe à faire, on a juste envie de passer plus de temps ensemble et de rigoler jusqu'à minuit !

Je me suis assise dans un coin avec un cahier à dessins et je griffonne des robes extravagantes tout en jetant quelques coups d'œil aux danseurs. Je ne sais pas pourquoi, toutes les robes que je dessine ce soir sont laides. Je n'arrive pas à reproduire ce que j'ai en tête. Je dois être trop fatiguée... Et ma jambe me fait mal. Si j'étais plus vieille, je dirais que c'est à cause de l'humidité ! Il pleut à torrents dehors. Et on annonce encore de la pluie toute la fin de semaine. C'est moche.

Je ferme mon cahier. Ça ne donne rien de continuer. J'enlève mes lunettes et je me masse l'arête du nez. C'est tellement inconfortable ! Malheureusement, je ne peux plus m'en passer maintenant. J'ai tellement hâte que maman accepte de m'acheter des verres de contact !

À regret, je remets mes lunettes et je regarde mes amis. L'autre jour, je plaisantais avec Romy, mais elle joue effectivement le rôle d'une princesse retenue contre son gré par un dragon. C'est Louka qui fait le dragon et Jérôme, le prince. Ça, c'est drôle ! Les deux autres filles tiennent le rôle du feu. Ça paraît un peu bizarre, dit comme ça, mais c'est très beau. Et ce le sera encore plus avec les costumes rouges et orangés qu'elles porteront le soir du spectacle.

Le dragon est ce qu'on appelle un « anti-rôle » pour Louka. Dans la vie, il est si doux, si gentil. Ce personnage est complètement à l'opposé de son caractère.

Je suis contente que Louka m'ait confié ses questionnements sur son orientation sexuelle. Depuis, j'ai beaucoup lu sur Internet. Il y a des histoires d'horreur de jeunes qui se sont fait harceler ou agresser lorsqu'ils ont dévoilé leur homosexualité. Je n'en reviens pas ! Pourtant, on ne vit plus en 1950 ! Je n'arrive pas à imaginer que certains soient encore si bornées. Louka est la première personne gaie que je connais. S'il l'est vraiment. Lui-même m'a dit qu'il n'était sûr de rien.

Depuis qu'il m'a dévoilé son secret, rien n'a changé. Non, en fait, je dois avouer que je suis un peu plus... curieuse. Je ne sais pas si c'est le bon mot. Je me demande si d'autres personnes que je connais sont homosexuelles. J'ai lu que dix pour cent des gens le sont, c'est beaucoup. Il doit sûrement y en avoir d'autres autour de moi, des élèves, des profs, des voisins, des jeunes du Hameau qui gardent le silence. Je trouve que c'est triste pour eux. Louka a raison: moi, je ne me pose pas de questions et je vis ma vie amoureuse ouvertement... quand j'en ai une. Lorsque je sortais avec Grégory, je l'embrassais devant tout le monde, je lui tenais la main. C'est beaucoup plus difficile pour mon ami. Un jour, je sais que ça arrivera, il assumera qui il est vraiment, mais il lui reste du chemin à faire. Je suis là pour lui, et je le serai encore lorsqu'il décidera de s'ouvrir un peu plus aux autres.

En attendant, je suis déjà bien occupée avec les amours de Romy...

À mon plus grand bonheur, elle est maintenant amie avec Jérôme. Ils se parlent un peu plus, je les ai même vus plusieurs fois rire tous les deux. Leur rapprochement est surtout dû à ce numéro de danse qu'ils font ensemble. Lucy est très fière de son coup. Elle me le dit chaque fois qu'on se voit! Je crois qu'elle a mis sa fille dans le secret, car je l'ai surprise une ou deux fois alors qu'elle lui lançait des coups d'œil entendus. En tout cas, je n'ai plus besoin de raconter des histoires à Romy pour qu'elle s'intéresse à Jérôme. Tout ce que j'ai à faire, c'est m'effacer au bon moment. Elle n'y voit que du feu. Du coup, Elias est plus rarement le sujet de nos conversations. Et la semaine dernière, lorsqu'il est venu reconduire Louka à l'école de danse après un rendez-vous chez le dentiste, elle n'a même pas essayé d'aller le voir pour lui parler. Louka n'en revenait pas.

Lucy passe la tête par la porte. Je crois qu'elle me cherche. Dès qu'elle m'aperçoit, elle me fait signe de la main de venir la rejoindre dans le corridor. Je ferme la porte derrière moi pour ne pas déranger les autres. Lucy a l'air particulièrement de bonne humeur.

— C'est fini!

— Quoi? Qu'est-ce qui est fini?

— Les costumes. Il me restait quelques retouches à faire, mais j'ai terminé. Tous les costumes sont prêts pour le spectacle.

— Wow! C'est une super nouvelle! Nous ne te remercierons jamais assez, Lucy. Tu as fait un travail extraordinaire. Jamais mon projet n'aurait pu fonctionner sans toi.

Elle presse mon épaule et sourit.

— Même si ça m'a demandé beaucoup de travail, j'ai aimé cette expérience. Je crois même que j'ai retrouvé le plaisir de coudre !

De l'autre côté de la porte, mes amis viennent de terminer leur répétition. Sandrine leur donne quelques dernières instructions et dans deux minutes tous sortiront. Je regarde ma montre. Il est dix-sept heures trente. Je dois appeler mon père pour qu'il vienne nous chercher. Il va sûrement ronchonner, car c'est l'heure du souper.

— Lucy, est-ce que je peux aller dans le bureau pour téléphoner ?

— Oui, oui, pas de problème.

Comme je fais mine de m'éloigner, elle m'arrête.

— Lili, qu'est-ce que tu dirais si je vous emmenais manger quelque part ? Quelque chose de pas compliqué, comme le resto où ils servent des hot-dogs interminables à deux rues d'ici. Romy, toi et… Jérôme, me dit-elle en me faisant un clin d'œil. J'irai vous reconduire après.

— Ouiiiiii ! C'est une super bonne idée ! Mais il faut que je demande à mes parents avant. Je les appelle et je reviens !

À mon plus grand bonheur, mes parents acceptent. Je vais rapidement trouver Romy pour lui transmettre l'invitation de Lucy.

—Super! Je mangerais un bœuf! J'ai tellement faim…

À midi, Romy n'a presque pas mangé, car sa mère lui avait donné des cigares au chou. Beurk! Elle a tout jeté à la poubelle. Je lui ai donné quelques bouchées de mon spaghetti, mais c'était une portion pour une personne, alors il n'y avait pas de quoi en rassasier deux.

Au restaurant, je prends la totale: un hot-dog géant avec choucroute, une frite et une boisson gazeuse. Avec maman, je peux rarement en boire. À l'écouter, c'est pire que la mort-aux-rats!

Autour de la table, la conversation est animée. Romy essaie de convaincre Jérôme que Marie-Mai est une chanteuse de grand talent, mais Jérôme soutient que ses chansons sont ennuyantes. Je fais exprès de ne pas me prononcer. À vrai dire, je n'ai pas vraiment d'opinion. J'aime quelques-unes de ses chansons, mais ce n'est pas mon idole. Pour moi, la top du top, ce sera toujours Adele. Lucy s'amuse bien de voir Romy et son petit-fils discuter. Je ne sais même pas si elle sait qui est Marie-Mai… Ce n'est pas de sa génération!

Ici, les hot-dogs sont très longs, mais aussi très difficiles à manger. Il n'est pas rare qu'il y ait des dégâts… Sans que Romy s'en rende compte, une goutte de ketchup tombe sur son t-shirt. C'est Jérôme qui la voit le premier.

—Romy, tu as du ketchup sur ton chandail.

Romy tire sur le tissu, sans remarquer la tache rouge tout près de son cou.

—Je ne vois rien.

—Ici...

Jérôme s'avance et approche son doigt de la salissure, puis le retire en rougissant. Je suis sûre qu'il n'a jamais autant approché sa main des seins d'une fille... et il vient de s'en rendre compte! Je vole à son secours.

—Attends, je vais l'essuyer.

Je frotte le t-shirt de Romy avec une serviette mouillée pour enlever le plus gros, mais il reste encore une tache rosâtre qui ne partira qu'au lavage.

Tout à coup, Jérôme et Romy parlent moins fort, semblent mal à l'aise. Il faut quelques minutes avant qu'ils retrouvent leur entrain. Lorsque Lucy va payer, je l'accompagne à la caisse.

—Et puis, penses-tu qu'il y a de l'espoir? lui demandé-je à mi-voix.

—Oh, que oui. J'ai de très bonnes antennes et je crois qu'on a visé dans le mille. J'essayerai de cuisiner un peu Jérôme dans l'auto quand vous ne serez plus là. On verra bien ce qu'il me répondra.

—Et moi, je vais faire la même chose de mon côté!

À la maison, il faut que j'attende un peu avant de pouvoir parler seule à seule avec Romy. Je pourrais le faire devant Clara, mais je pense que Romy s'ouvrira plus si nous sommes juste toutes les deux.

—Tu n'as pas apporté de tarte aux poires cette fois, Romy? demande ma sœur en nous voyant arriver.

—Ça se traîne mal dans un sac à dos…

—Et puis, quand allez-vous voir le beau Emmanuel danser?

—Dans trois semaines. Ce sont des billets pour l'émission de fin de saison. Anaëlle m'a dit qu'il y aurait plusieurs invités spéciaux.

Pendant que ma sœur parle avec Romy, j'en profite pour regarder mes courriels. Frédéric m'a écrit. J'ouvre son message avec bonne humeur.

Allô, allô, miss Claquettes!
Quoi de neuf? J'ai bien reçu les photos des costumes, ils sont extras. Tu as beaucoup de talent! Hey, comment va ta jambe?
J'ai enfin pu essayer mon longboard et j'ai failli foncer dans une voiture. J'ai eu la peur de ma vie! Et la madame qui condui-sait aussi!
Est-ce que je t'ai dit que je suis en train de suivre les cours pour être sauveteur de

piscine? J'ai eu ma médaille de bronze
l'an dernier et j'ai fait mon cours de croix
de bronze ce printemps. L'évaluation est
la fin de semaine prochaine. Ça devrait
bien se passer, c'est super facile. Mais je
dois attendre d'avoir seize ans pour faire
mon cours de sauveteur national et être
enfin un vrai sauveteur. Peut-être que cet
été je pourrai être assistant. Ma mère dit
que ça m'occuperait... On verra. Ça me
permettrait de me sauver des jumeaux!
Mon père a eu une deuxième entrevue pour
le poste qu'il aimerait avoir à Montréal. À
la maison, mes parents ne parlent que de
ça. Mes frères ont fait une crise quand
mon père leur a dit qu'on déménagerait
peut-être. Ils ont boudé pendant deux
jours, sans parler à personne. C'est bien
leur genre!
J'ai très hâte d'avoir de tes nouvelles. Je te
réécris bientôt!
Ciao bella!
Fred

Je lui répondrai demain. Moi aussi, j'ai plein de
choses à lui raconter!

Clara descend au rez-de-chaussée pour aller
dire bonne nuit à Violette qui ira au lit bientôt.

La connaissant, il y a des chances qu'elle la berce pour l'endormir. Le vendredi, comme elle est plus fatiguée, maman accepte souvent. C'est le temps pour moi d'avoir une conversation entre quatre z'yeux avec Romy. J'ai bien hâte d'entendre ce qu'elle va me dire !

Clara

22 mai

Mes deux recettes sont dans le journal étudiant publié aujourd'hui, en ligne et en version papier. Je n'en ai pas eu trop d'échos jusqu'ici. Peut-être que ça changera quand les lecteurs essaieront les recettes. S'ils les essayent! Il n'y a pas tant de jeunes qui cuisinent... Plusieurs savent à peine faire un grilled-cheese, et je n'exagère même pas. Ils ne savent pas ce qu'ils manquent!

Quand j'ai croisé Estelle dans le corridor ce matin, elle m'a souri. Je lui ai rendu son sourire. On dirait qu'elle n'est plus fâchée, mais elle n'a pas l'air de vouloir redevenir amie avec moi ni avec Clémentine. Ce n'est pas que j'ai besoin d'être son amie, Clémentine est la meilleure des meilleures, mais je m'entendais assez bien avec Estelle, même si elle a son petit caractère. C'est vrai que maintenant, j'ai Étienne et je vois aussi régulièrement

217

François, Luis et les amis de ma sœur. Si un jour Estelle veut reprendre son titre d'amie en règle, il y aura toujours de la place pour elle dans mon cœur, mais je ne me rendrai pas malade si ça n'arrive jamais.

Pendant le cours d'anglais, je regarde mon exemplaire du journal sur le coin de mon pupitre et j'ai un petit pincement au cœur en pensant qu'avant, ce n'était pas des recettes, mais des poèmes que je publiais. Je ne veux pas sonner trop dramatique, mais la poésie a changé ma vie. C'est ce qui a fait qu'Étienne est venu vers moi.

J'ai envie de lui écrire un poème.

J'essaie de jeter quelques idées sur une feuille, mais lorsque le prof passe entre les rangées, je la range *illico presto*. Je n'ai pas envie de me faire avertir ni que mon prof écrive un mot à ma mère. Je dois faire attention. Mes résultats sont encore plutôt moyens… Bon, je suis loin d'échouer, mais je ne dois pas décevoir mes parents.

J'ai trouvé le sujet de mon poème pour Étienne. Tantôt, je suis sortie pour mettre les poubelles au chemin et je me suis arrêtée dans l'entrée pour regarder la lune et les étoiles. C'était si beau. Le ciel était noir comme de l'encre et les étoiles étaient si claires, si brillantes. De vrais diamants. J'aurais voulu avoir un télescope pour voir la lune de plus près. On est allé au Planétarium quand j'étais petite et j'avais été très impressionnée. Il faudrait que j'y retourne un jour.

Tout ça pour dire que ce spectacle m'a donné envie d'écrire un poème sur la nuit. Non pas un poème angoissé qui parle des cauchemars ou des animaux terrifiants qui rôdent dans les bois, mais un poème aussi lumineux que les étoiles que j'ai vues briller ce soir.

Quand je suis rentrée dans la maison, je suis montée à ma chambre sans dire bonne nuit à mes parents. Dans ma tête, j'écrivais déjà. Il fallait vite que je trouve une feuille si je ne voulais pas perdre mes idées. Lili n'est pas là, c'est sa répétition générale. Son spectacle a lieu après-demain. D'habitude, il me semble que cette dernière répétition se fait toujours la veille d'un spectacle, je ne sais pas pourquoi celle-là est l'avant-veille.

Il me faut environ une heure pour écrire un sonnet. C'est un poème de quatorze vers. Le titre est tout simplement *Nuit*. Mon brouillon est... un vrai brouillon! Il y a des ratures un peu partout, des flèches, des bouts de phrases écrites dans la marge ou même au verso de ma feuille. Je regarde l'heure: 21 h 45. Lili n'est toujours pas rentrée. Je décide de retranscrire mon poème au propre en l'attendant. Je pourrai le donner à Étienne demain. Je suis sûre qu'il l'aimera. Il aime tous mes poèmes, mais je pense bien que celui-là est encore meilleur que ceux que j'ai écrits avant. Il y a longtemps que je ne m'étais pas laissé emporter par les mots ainsi. Ça fait du bien.

Lili

Romy est une vraie énigme. Je ne l'ai jamais vue comme ça. Chaque fois que je parle de Jérôme, elle fait dévier le sujet. On dirait qu'elle ne veut pas qu'on en discute. Même après notre souper de la semaine dernière avec Jérôme et Lucy, elle n'a pas voulu me dire ses impressions. J'ai essayé de ne pas trop insister, mais c'était plus fort que moi. D'accord, je suis curieuse, mais c'est surtout que je m'intéresse à elle !

— Il est gentil. C'est mon ami, m'a-t-elle expliqué, l'air ailleurs.

— OK, mais penses-tu qu'il pourrait y avoir un peu plus entre lui et toi ?

Elle a détourné le regard et roulé un crayon entre ses doigts. C'était franchement agaçant.

— Je ne sais pas. Au fait, est-ce que ce sont tes parents ou les miens qui viendront nous reconduire à l'émission de télévision ?

— Romy ! Tu changes encore de sujet !

— Ah ! Tu es fatigante avec ça !

Depuis, j'évite donc de lui parler de Jérôme, même si parfois je dois me retenir à deux mains pour ne pas faire certains commentaires. Mais mes yeux n'arrêtent pas de les épier. Quelque chose est en train de se passer, je le sais, je le sens. Tout ce que je peux faire maintenant, c'est attendre.

Au moins, le spectacle de ce soir occupe mon esprit, alors c'est plus facile de ne pas penser aux amours de Romy. C'est l'aboutissement de plusieurs mois de travail. Je suis hyper stressée. Pour les chorégraphies, je pense que je suis prête. Je ne suis pas au sommet de ma forme, mais je me suis beaucoup améliorée ces dernières semaines. Si j'avais pu répéter un mois de plus, j'aurais été meilleure encore, mais on ne peut pas tout avoir.

C'est surtout le fait que tous les spectateurs vont voir les costumes que j'ai dessinés qui m'angoisse. Madame Loiseau tient à me nommer dans les remerciements. Ainsi, tout le monde connaîtra mon implication. Je réagis un peu comme Clara (ce qui est assez rare, quand même !) : j'ai peur qu'on me critique, qu'on n'aime pas ce que j'ai fait. Lucy, madame Loiseau, les profs, mes amis de danse-études ont tous dit que les costumes étaient super beaux, qu'ils étaient parfaits pour les chorégraphies, mais ils ont le nez trop collé sur le spectacle pour être neutres. Ce soir, ce sera le test suprême. Ça passe ou ça casse, comme on dit.

Ce matin, maman m'a demandé trois fois de me calmer tellement elle me trouvait agitée. J'ai fait tomber mon verre de lait, j'ai émietté ma croûte de rôtie dans mon assiette et j'ai déchiré en mille morceaux une page du journal de papa, sans même m'en rendre compte. Une chance que papa l'avait déjà lue, sinon il aurait été vraiment fâché.

On inspire, on expire. Tout va bien aller.

Même s'il n'est pas encore tout à fait terminé, je crois que je peux dire que le spectacle est un succès. Il est de loin meilleur que celui que nous avons présenté l'an dernier. Et meilleur que celui de Noël. Nous sommes aussi de meilleurs danseurs, mais je pense que les chorégraphies sont plus originales et mettent plus en valeur nos aptitudes physiques et notre technique.

Le dernier numéro est celui du dragon avec Louka, Romy, Jérôme et deux autres filles. Ils sont super bons. Je les regarde depuis les coulisses et je suis tous leurs mouvements avec attention. Je trouve que Romy s'est beaucoup améliorée. Elle fait une magnifique princesse, tout en grâce et en beauté. Je lui ai appliqué des paillettes sur les paupières avant le spectacle pour que ses yeux brillent. J'en ai aussi déposé sur le haut de sa poitrine et sur ses bras. C'est une petite touche magique !

La chorégraphie se termine comme dans un conte : le méchant dragon est mort (pauvre Louka !), et le prince et la princesse sont enfin réunis. La musique s'arrête et les lumières s'éteignent. Fin. La salle applaudit à tout rompre. Je sens une boule de fierté monter dans ma poitrine. Quelle magnifique représentation ! Et c'est un peu grâce à moi. J'ai l'impression de faire partie d'un tout, et ensemble, nous avons réalisé un beau et grand spectacle. J'ai déjà hâte à la représentation devant les parents.

Madame Loiseau monte sur scène pour les remerciements. Je suis tellement énervée que je ne l'écoute que d'une oreille, mais tout à coup, Louka me donne un coup de coude en montrant la directrice du doigt.

— Je souhaite remercier tout particulièrement Lili Perrier et ma mère, Lucy White, pour les costumes des élèves de deuxième secondaire. Quand Lili est venue me voir pour me proposer de dessiner les vêtements du spectacle de fin d'année, j'ai hésité un peu, mais je dois dire aujourd'hui que je n'avais aucune raison de m'inquiéter. Vous serez sans doute d'accord avec moi pour affirmer que ces costumes sont tout simplement superbes ! Bravo !

Sandrine, ma prof de ballet, me pousse dans le dos pour que je monte sur scène, et je vois mes amies faire de même avec Lucy. Les spectateurs applaudissent de plus belle. Je suis à la fois mal à l'aise et fière. Je remonte mes lunettes sur mon nez pour occuper mes doigts. Je ne sais pas comment me placer. Lucy prend ma main et nous levons ensemble notre bras dans les airs en signe de victoire.

Les autres élèves nous rejoignent pour le salut final. Les lumières se rallument. Nous sommes debout les uns à côté des autres et nous saluons avec élégance, comme on nous l'a enseigné.

Je cherche Romy des yeux. Je ne la vois pas. Elle devrait être là pourtant... Je tourne la tête à sa recherche et je finis par la distinguer dans l'obscurité des coulisses. Jérôme la prend par la taille et ils s'embrassent ! Sans contredit, c'est l'apothéose de la soirée !

Clara

2 juin

Étienne est fou! Mais je parle d'une belle folie.
C'est ce qui fait que je l'aime encore plus! Je lui ai
remis mon poème *Nuit* la semaine dernière. C'était
l'heure du dîner et on avait décidé de marcher
juste tous les deux autour de l'école parce qu'il
faisait tellement beau! Il l'a lu et ensuite... il ne
m'a rien dit. Je pensais l'avoir déçu ou quelque
chose comme ça. J'aimais beaucoup mon poème,
mais peut-être qu'Étienne n'était pas du même
avis... Mon cerveau roulait à cent à l'heure, je me
demandais ce qui n'allait pas, j'étais inquiète.

Après quelques instants qui m'ont paru durer
une éternité, il m'a avoué qu'il était resté muet
parce qu'il était impressionné par ce que j'avais
écrit. Oh, wow! J'étais vraiment flattée du compli-
ment et mal à l'aise, comme toujours. Il m'a dit
qu'il allait garder mon poème sur sa table de

chevet pour pouvoir le relire souvent. Mon chum est un grand sensible. Je n'ai jamais vu personne être autant touché par les mots. Bon, si je lis quelque chose de triste, je pleure à tout coup, et il m'arrive aussi de rire aux éclats quand il y a des passages rigolos, mais les autres personnes que je connais ne semblent pas aussi émues par leurs lectures. Depuis qu'il fait beau, sur l'heure du dîner, il nous arrive parfois d'aller nous asseoir dans le gazon devant l'école pour lire des recueils de poésie à haute voix. Nelligan, Baudelaire, Rimbaud, Verlaine... Clémentine nous accompagne parfois, mais la poésie ne la fait pas triper autant que nous.

Je ne pensais presque plus à ce poème (j'en ai écrit deux autres depuis), mais Étienne m'en a reparlé aujourd'hui.

—J'ai eu une super idée à propos du poème que tu m'as écrit.

—Mon poème? Lequel? *Nuit*?

—Oui! Mais je ne suis pas certain que tu vas aimer ma proposition. Ça sort un peu de l'ordinaire...

Il prend un petit air coquin. Étienne aime être mystérieux. Il m'a quand même envoyé des messages anonymes pendant six mois!

—Vas-y. Si je n'aime pas, je n'aurai pas peur de te le dire.

Et c'est vrai. Avec Étienne, je suis capable d'être franche et de me montrer sous mon vrai jour, comme avec Lili.

— Dans une semaine, il y aura une super lune.

— Une super lune ? Qu'est-ce que c'est ? Je n'ai jamais entendu parler de ça.

— C'est mon oncle qui m'en a parlé le week-end dernier. Une fois par année, à peu près, la lune s'approche de son point le plus près de la Terre. Cette nuit-là, on dirait qu'elle est plus grosse et plus lumineuse. C'est ça qu'on appelle une super lune.

— Wow. Ça doit être beau.

— J'aimerais qu'on la regarde ensemble.

— Euh… La nuit ?

Étienne se met à rire. Je me rends alors compte que je viens de dire une niaiserie. Belle nouille ! La lune est toujours visible la nuit, pas en plein jour !

— J'ai pensé à tout. On ira au parc en vélo, on mettra une couverture sur la pelouse et on regardera le ciel. On pourrait même apporter une deuxième couverture pour se tenir au chaud. Juste une heure ou deux, toi et moi. Je suis sûr que la nuit sera aussi belle que dans ton poème, me dit-il en souriant.

Je me sens presque coupable d'avouer que l'idée me séduit. Si j'en parle à mes parents, je suis sûre qu'ils vont refuser. Mais je ne suis pas obligée de leur dire… Qui s'en rendra compte si je sors de la maison quelques heures ? Violette fait ses nuits maintenant et mes parents ne se réveillent plus aux heures comme avant. Au contraire, ils rattrapent le sommeil perdu pendant des mois et ils dorment très dur. J'entends papa ronfler de ma chambre ! Je dois souvent fermer la porte parce que ses ronflements m'empêchent de dormir. Je pourrais me confier à Lili, je sais qu'elle ne me dénoncera pas.

Oh là là, je suis vraiment en train de me dévergonder ! Même si j'ai terriblement envie d'accepter, il y a quand même une petite voix dans ma tête qui me dit que je ne devrais pas. Étienne attend ma réponse avec impatience.

Le carillon retentit dans toute l'école. Les gens autour de nous se secouent pour reprendre le chemin des classes.

— Je vais y penser, d'accord ? Je vais te donner ma réponse d'ici demain.

— Pas de problème.

Il pose un bec rapide sur ma joue et nous nous séparons pour aller à nos cours, chacun de notre côté.

Clara

9 juin

J'ai dit oui à la folle idée d'Étienne. C'est excitant ! Hier soir, j'ai eu de la difficulté à m'endormir, et là, je sens mon cœur qui galope dans ma poitrine depuis que je suis revenue de l'école. Même Lili paraît fébrile.

— Je suis jalouse, laisse-t-elle tomber.

— Jalouse de quoi ?

Elle soupire et se lance sur mon lit.

— De toi, de Romy. Il vous arrive plein de belles choses, et moi, ma vie est au neutre. C'est plate.

— Chacune son tour, non ?

Ma sœur sait ce que je veux dire… Elle, elle est sortie avec Grégory l'an dernier. Je sais que ça s'est mal terminé, mais je n'ai pas peur pour elle. Lili retrouvera l'amour bientôt, j'en suis sûre. Je passe la main dans ses cheveux.

—Et qui dit que la vie ne te réserve pas de belles surprises ?

—Ouais… Changement de sujet, comment vas-tu t'habiller pour ce soir ?

—J'ai regardé la météo sur le iPad de papa tantôt. Il fera 13 °C cette nuit. Je vais mettre mes jeans et ma veste rose toute douce. Est-ce que je peux emprunter tes Converse ? Ils sont super confos.

Lili montre le dessous de mon bureau du doigt.

—Je crois qu'ils sont là. Ou dans ma garde-robe.

Je les trouve rapidement. Je les dépose près de mon lit, à côté de mon sac à dos. J'y ai glissé deux carrés aux dattes, un sac de jujubes et une bouteille d'eau.

Il est vingt-deux heures. Le vendredi, c'est l'heure de l'extinction des feux. J'ai déjà dit bonne nuit à mes parents plus tôt. J'éteins la lumière de la chambre et Lili retourne vers son lit en bâillant.

—Clara, tu me réveilles quand tu reviens, d'accord ? Juste pour être certaine que tout va bien.

—Ne t'inquiète pas. Je serai avec Étienne, il ne peut rien m'arriver.

—Bonne nuit.

—À toi aussi !

Je fixe le plafond de ma chambre, étendue sous ma couette. J'ai mis ma robe de nuit pour ne pas éveiller les soupçons de mes parents, au cas où l'un ou l'autre viendrait voir si je dors avant d'aller se coucher. Ça ne tardera sûrement pas. Maman a terminé de regarder son émission à la télévision. Je l'entends ramasser quelques affaires en bas, et après, elle va monter. Étienne m'attendra au coin de la rue à minuit. Il me reste encore deux heures à tuer.

C'est vrai que la lune est superbe. Elle est jaune et brillante. On dirait qu'elle est proche, proche. C'est un très beau spectacle. Il n'y a que la nature pour savoir nous émerveiller de cette façon!

Je suis contente d'être venue, même si je me suis rongé les sangs pendant deux heures dans mon lit. À minuit moins cinq, je me suis habillée en silence, j'ai pris mon sac à dos et je suis descendue au rez-de-chaussée. Lili s'est tournée dans son lit comme je passais la porte. Au bout du corridor, j'ai entendu mon père ronfler. Les escaliers sont recouverts de tapis, alors c'est silencieux lorsqu'on monte ou descend. Je me suis assurée que j'avais ma clé et je suis sortie par la porte arrière.

Dehors, tout est paisible. L'air est frais, mais je n'ai pas froid. Je pense que mes joues sont même rouges et chaudes à cause de l'excitation. Étienne m'attend comme prévu au coin de la rue. Il a mis des jeans et son t-shirt bleu foncé avec le logo de Captain America sur le devant.

— Tu es venue ! chuchote-t-il avant de m'embrasser.

— Pourquoi ? Pensais-tu que j'allais te laisser tomber ?

— Non... Peut-être. Ce n'est pas ton genre de ne pas suivre les règles. Mais ce n'est pas tellement le mien non plus. Tu me fais faire des folies, Clara Perrier.

Je craque carrément pour lui !

Étienne a apporté une grosse couverture sur laquelle nous nous sommes étendus. Les premières minutes, j'étais un peu inquiète. Le parc est censé être fermé après vingt et une heures et j'avais peur qu'on se fasse avertir, mais lorsque j'ai compris que nous étions seuls, mes tensions se sont un peu relâchées. Le silence nous enveloppe, à peine troublé par le bruissement des feuilles. Auprès d'Étienne, je me sens en sécurité.

Je ne sais pas depuis combien de temps nous sommes là, mais j'y passerais la nuit. Je suis bien. Je n'ai pas du tout envie de dormir. Une chance que demain nous sommes en congé. Nous nous tenons la main et la paume d'Étienne est douce et chaude.

— Wahou ! Clara, as-tu vu l'heure ? Il est deux heures vingt ! Il va falloir rentrer.

Ah non! Pas déjà! À contrecœur, nous remballons toutes nos choses et jetons le sac vide de jujubes dans une poubelle plus loin. Étienne me raccompagne jusqu'au coin de ma rue. Personne à l'horizon. On s'embrasse une dernière fois. Pour plaisanter, je fais semblant de ne pas vouloir lui lâcher la main.

— On s'appelle demain matin.

— Mais pas trop de bonne heure quand même! me répond Étienne.

Quelle belle excursion! Il va falloir qu'on renouvelle l'expérience. Je suis sur un nuage! Je sens que je vais faire de beaux rêves.

J'ouvre la porte délicatement et je tends l'oreille. La maison est silencieuse. Ouf! Je n'imagine pas ce qui se serait passé si j'avais été...

— Clara Perrier! Où étais-tu?

Debout dans l'embrasure de la porte de la cuisine, ma mère, en robe de chambre, me lance un regard de feu. Ah non! Dans quel pétrin me suis-je mise?

Lili

14 juin

La semaine d'examens commence demain. Nous avons une et parfois même deux évaluations par jour. Toutes les matières y passent. J'ai commencé à étudier il y a déjà trois ou quatre jours pour prendre un peu d'avance, mais ça ne me rassure pas du tout. J'ai beaucoup de difficulté à me souvenir de ce que nous avons fait au début de l'année. Dans certains cours, l'examen porte sur la matière de TOUTE l'année ! Je relis mes notes et on dirait que c'était il y a mille ans ! Rien pour m'aider.

En danse, toutes nos évaluations sont terminées. Nous ne faisons plus grand-chose. Mika, notre prof de ballet jazz, qui est en congé de maternité, est venue nous faire un petit coucou hier avec son bébé. Il s'appelle Milan et il est mignon comme tout. Il a de grosses joues et les cuisses comme le Bonhomme Michelin! Toutes les filles de la classe l'ont pris. Il s'est promené de bras en bras sans rechigner, souriant à chacune de nous. Et bavant aussi. «Il fait ses dents!» nous a dit Mika en riant. Avec Violette à la maison, je sais ce que c'est!

J'étais contente d'apprendre que Mika allait être de retour à la rentrée. Madame Loiseau pourra reprendre ses fonctions dans le bureau, et Lucy... eh bien, Lucy, je ne sais pas ce qu'elle va faire.

—J'ai plein de projets, Lili, ne t'inquiète pas pour moi. J'ai de quoi m'occuper pour vingt-cinq ans minimum! m'a-t-elle dit quand je suis allée la voir.

—Mais tu reviendras nous dire bonjour de temps en temps?

—C'est sûr! Et on retournera manger un hot-dog géant un de ces soirs.

Romy m'a encore fait des cachotteries pendant une semaine ou deux, mais elle a fini par tout me raconter. Jérôme et elle ont commencé à s'échanger des messages sur Internet au début du mois de mai. Des petits messages banals qui le sont devenus de moins en moins... Un soir où ils avaient une répétition (et où je n'étais pas là!), ils ont parlé une heure tous les deux devant l'école de danse. La mère de Romy était prise dans la circulation, et Jérôme rentrait chez lui à vélo, alors il n'était pas pressé. C'est là que la vraie histoire a commencé...

—Le temps passait tellement vite, Lili! On aurait dit qu'on était là depuis dix minutes à peine. On a parlé de tout et de rien. Ça fait deux ans qu'on est en danse-études et je ne le connaissais presque pas. Tu savais qu'il est fils unique? Son père est mort quand il avait deux ans, mais il appelle son beau-père "papa". Il m'a dit qu'il a commencé à danser avant de savoir marcher. Plus petit, il bégayait, mais il a été suivi par une orthophoniste pendant des années et il n'a plus aucun problème de langage. En parlant de sa voix, elle est en train de muer et parfois, quand il parle, on dirait que ça fait comme des vagues. C'est drôle.

Quand elle commence, impossible de l'arrêter. Je suis contente pour mon amie. C'est son premier chum. Même si je le connais à peine, Jérôme a l'air très sympathique. Et je n'entends plus parler d'Elias!

Pour une des rares fois de ma vie, j'appréhende un peu la fin de l'année. En fait, j'ai l'impression que je vais m'ennuyer cet été. Clara passera du temps avec Étienne, Romy avec Jérôme... Et moi?

Je sais que j'ai d'autres amis, Louka, Anaëlle, les autres filles de danse-études, mais ce n'est pas la même chose.

Mais qu'est-ce que je dis là? D'abord, je dois me concentrer sur mes examens de fin d'année. APRÈS seulement, je penserai aux vacances. Et me connaissant, je ne tournerai sûrement pas en rond longtemps.

Tout d'abord, je dois vérifier quelque chose sur Internet à propos de la Confédération. C'est pour mon examen de demain matin. J'ai de la difficulté à relire mes notes et j'ai oublié mon manuel à l'école. C'est pratique!

Ah, youpi! Frédéric vient de m'écrire. Pour moi, ses messages ont priorité sur l'histoire du Canada! Que me raconte donc mon ami de Gatineau?

Allô, belle Lili-les-lunettes!
Tu es super belle avec des lunettes! Wow!
Elles te donnent un petit style qui n'est pas laid du tout. Je ne sais pas pourquoi tu n'as pas voulu me montrer une photo de toi avec des lunettes avant.
Ça sent l'été, tu ne trouves pas? J'ai telle-ment hâââte! Je n'en peux plus. Je regarde par la fenêtre et je n'ai qu'une envie: me sauver! Le soleil m'appelle. Je ne sais pas

pourquoi, mes frères sont insupportables ces temps-ci à la maison. Quand il fait beau, maman les envoie dehors, mais quand il pleut, c'est l'enfer. Ils s'amusent à fabriquer des avions de papier et ils les lancent dans ma chambre quand j'étudie ou que je fais mes devoirs. Hier, j'ai failli en recevoir un dans l'œil. Grrr! Est-ce que j'ai l'air d'une piste d'atterrissage? Mon père a acheté à chacun un «sac à pet» (quelle idée!) et ils essaient toujours d'en glisser un en dessous de mes fesses quand je m'assois sur une chaise. Ça les fait bien rire! Mais moi, ça m'énerve.

Je t'écrirais encore des heures, mais le temps passe et j'ai plein d'examens à préparer. Tout comme toi, sûrement. Sur ce, je retourne à ma SUPER étude. On va y arriver, hein?

XXX

Frédoulilou

(Rigolo comme nom, n'est-ce pas? Je sais, je capote un peu. C'est la fatigue. Elle attaque mes neurones. Attention, c'est contagieux.)

PS: J'ai gardé le meilleur pour la fin. On déménage. Papa a eu le poste à Montréal.

*Dès que l'école est finie, mes parents vont
visiter des maisons. On habitera tout près
l'un de l'autre, es-tu contente ?*

Je suis abasourdie. Frédéric déménage dans
mon coin ! Je ne m'attendais pas à ça. Il m'avait
parlé de cette possibilité dans ses autres messages,
mais il y a toujours tellement de gens qui postulent
pour des emplois affichés… Tiens, tiens, je ressens
de petits papillons dans l'estomac… Qui sait, c'est
peut-être un signe que la vie m'envoie. Finalement,
je sens que l'été se présente merveilleusement bien !

Biscuits aux brisures de chocolat

1 c. à thé de poudre à pâte
1 ½ c. à soupe de fécule de maïs
2 ⅔ tasse de farine
¾ tasse de beurre à la température de la pièce
1 ½ tasse de cassonade
2 œufs
1 c. à thé d'extrait de vanille
1 tasse de brisures de chocolat

Dans un petit bol, bien mélanger la poudre à pâte, la fécule de maïs et la farine. Mettre de côté. Dans un plus grand bol, battre le beurre et la cassonade. Y incorporer les œufs et l'extrait de vanille et bien remuer. Ajouter le mélange d'ingrédients secs un peu à la fois, puis les brisures de chocolat. Mettre le mélange au réfrigérateur une trentaine de minutes.
Préchauffer le four à 350 °F (180 °C). Recouvrir une plaque à biscuits de papier parchemin. À l'aide de deux cuillères, façonner les biscuits et les déposer sur la plaque en laissant quelques centimètres entre chacun. Pendant que la première fournée de biscuits cuit, mettre le reste de pâte au réfrigérateur.
Cuire 11 à 13 minutes.

Donne environ 24 biscuits.

Suivez-nous

Achevé d'imprimer en février 2015
sur les presses de Marquis-Gagné
Louiseville, Québec